힘이 붙는 수학

연산

초등 **3A**

단계별 학습 내용

1 초1 수준

A	B
1단계 9까지의 수	**1단계** 100까지의 수
2단계 9까지의 수를 모으기, 가르기	**2단계** 덧셈과 뺄셈(1)
3단계 덧셈과 뺄셈	**3단계** 덧셈과 뺄셈(2)
4단계 50까지의 수	**4단계** 덧셈과 뺄셈(3)

2 초2 수준

A	B
1단계 세 자리 수	**1단계** 네 자리 수
2단계 덧셈과 뺄셈	**2단계** 곱셈구구
3단계 덧셈과 뺄셈의 관계	**3단계** 길이의 계산
4단계 세 수의 덧셈과 뺄셈	**4단계** 시각과 시간
5단계 곱셈	

3 초3 수준

A	B
1단계 덧셈과 뺄셈	**1단계** 곱셈
2단계 나눗셈	**2단계** 나눗셈
3단계 곱셈	**3단계** 분수
4단계 길이와 시간	**4단계** 들이
5단계 분수와 소수	**5단계** 무게

🐙 전체 학습 설계도를 보고 초등 수학의 과정을 알 수 있습니다.

4 초4 수준

A	B
🎯 1단계 큰 수	🎯 1단계 분수의 덧셈
🎯 2단계 각도	🎯 2단계 분수의 뺄셈
🎯 3단계 곱셈	🎯 3단계 소수
🎯 4단계 나눗셈	🎯 4단계 소수의 덧셈
	🎯 5단계 소수의 뺄셈

5 초5 수준

A	B
🎯 1단계 자연수의 혼합 계산	🎯 1단계 수의 범위
🎯 2단계 약수와 배수	🎯 2단계 어림하기
🎯 3단계 약분과 통분	🎯 3단계 분수의 곱셈
🎯 4단계 분수의 덧셈과 뺄셈	🎯 4단계 소수의 곱셈
🎯 5단계 다각형의 둘레와 넓이	🎯 5단계 평균

6 초6 수준

A	B
🎯 1단계 분수의 나눗셈	🎯 1단계 분수의 나눗셈
🎯 2단계 소수의 나눗셈	🎯 2단계 소수의 나눗셈
🎯 3단계 비와 비율	🎯 3단계 비례식
🎯 4단계 직육면체의 부피와 겉넓이	🎯 4단계 비례배분
	🎯 5단계 원의 넓이

이렇게 공부해 봐

1 개념 정리

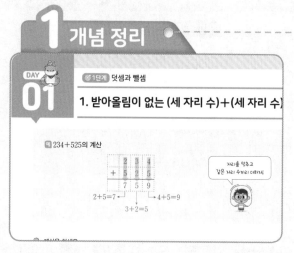

개념 정리 내용을 확인하며 계산 원리를 충분히 이해해요.

2 연산 학습

다양한 유형의 연산 문제를 통해 연산력을 강화해요. 매일 연산 학습을 반복하면 더 효과적으로 학습할 수 있어요.

3 생활 속 연산

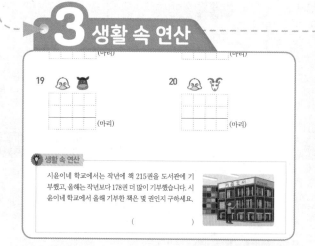

다양한 실생활 속 상황에서 연산력을 키워 문제를 해결해요.

4 마무리 연산

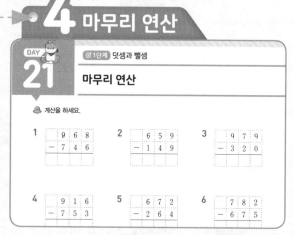

연산 학습을 잘했는지 문제를 풀어 보며 확인해요.

Contents 차례

1

덧셈과 뺄셈

계산 실수를 하지 않게
집중해서 풀어 보자!

학습 결과와 시간을 써 보세요!

학습 내용	학습 회차	맞힌 개수/걸린 시간
1. 받아올림이 없는 (세 자리 수)+(세 자리 수)	DAY 01	/
	DAY 02	/
2. 받아올림이 한 번 있는 (세 자리 수)+(세 자리 수)	DAY 03	/
	DAY 04	/
	DAY 05	/
	DAY 06	/
3. 받아올림이 두 번 있는 (세 자리 수)+(세 자리 수)	DAY 07	/
	DAY 08	/
	DAY 09	/
4. 받아올림이 세 번 있는 (세 자리 수)+(세 자리 수)	DAY 10	/
	DAY 11	/
5. 받아내림이 없는 (세 자리 수)−(세 자리 수)	DAY 12	/
	DAY 13	/
6. 받아내림이 한 번 있는 (세 자리 수)−(세 자리 수)	DAY 14	/
	DAY 15	/
	DAY 16	/
7. 받아내림이 두 번 있는 (세 자리 수)−(세 자리 수)	DAY 17	/
	DAY 18	/
	DAY 19	/
마무리 연산	DAY 20	/
	DAY 21	/

◎ 1단계 덧셈과 뺄셈

1. 받아올림이 없는 (세 자리 수)+(세 자리 수)

예 234+525의 계산

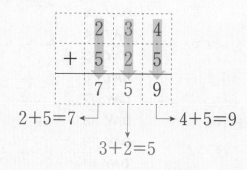

$2+5=7$ ←   → $4+5=9$

$3+2=5$

자리를 맞추고
같은 자리 수끼리 더하장!

🐙 계산을 하세요.

1

	1	3	5
+	2	4	3
	3	7	8

같은 자리 수끼리 더해.

2

	1	4	8
+	3	5	1

3

	2	3	7
+	1	6	2

4

	2	1	4
+	2	5	3

5

	3	3	6
+	1	4	2

6

	3	3	7
+	4	2	0

7

	4	5	2
+	3	1	2

8

	5	3	6
+	4	5	1

9

	6	8	2
+	2	1	6

🐙 계산을 하세요.

10
```
    1  1  1
+   2  3  4
─────────
```

11
```
    1  7  2
+   3  1  5
─────────
```

12
```
    2  0  6
+   4  9  2
─────────
```

13
```
    2  8  3
+   6  0  4
─────────
```

14
```
    3  3  5
+   2  6  2
─────────
```

15
```
    3  6  4
+   5  1  2
─────────
```

16
```
    4  3  0
+   3  4  7
─────────
```

17
```
    4  6  1
+   1  3  5
─────────
```

18
```
    5  3  2
+   3  5  2
─────────
```

19
```
    5  6  8
+   4  1  1
─────────
```

20
```
    6  5  4
+   2  4  4
─────────
```

21
```
    6  7  1
+   3  0  7
─────────
```

22
```
    7  2  4
+   1  3  1
─────────
```

23
```
    7  9  0
+   2  0  6
─────────
```

24
```
    8  2  5
+   1  4  2
─────────
```

1단계 덧셈과 뺄셈

1. 받아올림이 없는 (세 자리 수)+(세 자리 수)

계산을 하세요.

1 107+761

2 129+660

3 228+350

4 353+613

5 443+256

6 415+544

7 143+324

8 172+125

9 634+154

10 654+241

11 742+133

12 760+229

13 316+123

14 832+123

🐙 계산을 하세요.

15
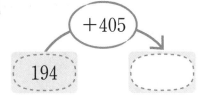

16
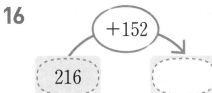

17
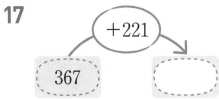

18
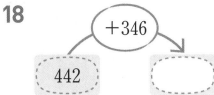

19
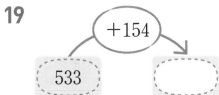

20
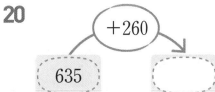

21
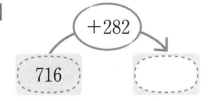

22
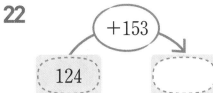

23
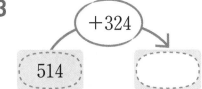

24

+102

297

1단계 덧셈과 뺄셈

2. 받아올림이 한 번 있는 (세 자리 수)+(세 자리 수)

예 345+429의 계산

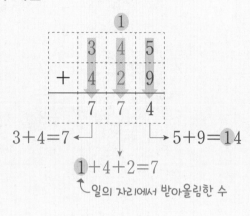

3+4=7 ←   → 5+9=14

1+4+2=7
↑ 일의 자리에서 받아올림한 수

일의 자리 수끼리의 합이
10이거나 10보다 크면
십의 자리로 받아올림하여 계산해!

🐙 계산을 하세요.

1
```
    1 2 6
 +  1 1 8
    2 4 4
```
일의 자리 수의 합이
14니까 10을 받아올림해.

2
```
    1 3 9
 +  4 2 8
```

3
```
    2 3 4
 +  1 2 7
```

4
```
    2 1 6
 +  3 2 4
```

5
```
    3 0 8
 +  2 4 4
```

6
```
    4 3 7
 +  2 2 5
```

7
```
    5 2 5
 +  2 0 6
```

8
```
    6 2 4
 +  1 3 9
```

9
```
    7 0 3
 +  1 6 7
```

🐙 계산을 하세요.

10
```
    1 1 4
+   2 1 7
```

11
```
    2 5 8
+   4 1 6
```

12
```
    2 0 3
+   6 5 9
```

13
```
    3 2 5
+   2 4 6
```

14
```
    3 6 7
+   5 1 3
```

15
```
    4 3 4
+   1 2 8
```

16
```
    4 3 9
+   4 3 7
```

17
```
    5 6 5
+   2 0 5
```

18
```
    1 1 6
+   1 4 6
```

19
```
    6 2 8
+   2 1 9
```

20
```
    2 5 7
+   3 1 6
```

21
```
    7 0 5
+   1 7 9
```

22
```
    2 3 4
+   2 3 6
```

23
```
    8 4 8
+   1 0 8
```

24
```
    8 2 7
+   1 4 7
```

1단계 덧셈과 뺄셈

2. 받아올림이 한 번 있는 (세 자리 수)＋(세 자리 수)

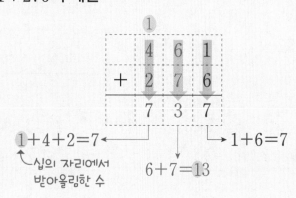 461＋276의 계산

$$
\begin{array}{r}
4\ 6\ 1 \\
+\ 2\ 7\ 6 \\
\hline
7\ 3\ 7
\end{array}
$$

1＋4＋2＝7 ←
↑ 십의 자리에서
받아올림한 수

6＋7＝13

1＋6＝7

십의 자리 수끼리의 합이
10이거나 10보다 크면
백의 자리로 받아올림하여 계산해

🐙 계산을 하세요.

1
$$
\begin{array}{r}
1\ 8\ 2 \\
+\ 2\ 9\ 3 \\
\hline
4\ 7\ 5
\end{array}
$$
십의 자리 수의 합이
17이니까 10을 받아올림해.

2
$$
\begin{array}{r}
1\ 8\ 4 \\
+\ 5\ 2\ 5 \\
\hline
\end{array}
$$

3
$$
\begin{array}{r}
2\ 4\ 6 \\
+\ 3\ 7\ 2 \\
\hline
\end{array}
$$

4
$$
\begin{array}{r}
2\ 7\ 8 \\
+\ 6\ 8\ 1 \\
\hline
\end{array}
$$

5
$$
\begin{array}{r}
3\ 3\ 3 \\
+\ 3\ 7\ 4 \\
\hline
\end{array}
$$

6
$$
\begin{array}{r}
2\ 6\ 4 \\
+\ 2\ 9\ 4 \\
\hline
\end{array}
$$

7
$$
\begin{array}{r}
5\ 8\ 6 \\
+\ 2\ 6\ 0 \\
\hline
\end{array}
$$

8
$$
\begin{array}{r}
2\ 9\ 2 \\
+\ 1\ 9\ 7 \\
\hline
\end{array}
$$

9
$$
\begin{array}{r}
7\ 5\ 0 \\
+\ 1\ 6\ 1 \\
\hline
\end{array}
$$

🐙 계산을 하세요.

10
```
    1  6  1
+   3  6  4
―――――――――
```

11
```
    1  8  5
+   6  7  2
―――――――――
```

12
```
    2  1  3
+   2  9  3
―――――――――
```

13
```
    2  4  3
+   4  8  4
―――――――――
```

14
```
    3  6  4
+   3  5  5
―――――――――
```

15
```
    3  7  2
+   4  7  2
―――――――――
```

16
```
    1  2  0
+   2  9  7
―――――――――
```

17
```
    4  5  3
+   4  8  2
―――――――――
```

18
```
    5  7  1
+   2  5  2
―――――――――
```

19
```
    1  9  8
+   1  4  0
―――――――――
```

20
```
    6  8  4
+   1  8  2
―――――――――
```

21
```
    6  3  2
+   2  7  7
―――――――――
```

22
```
    2  7  3
+   1  9  5
―――――――――
```

23
```
    7  6  6
+   1  9  1
―――――――――
```

24
```
    5  5  4
+   1  9  4
―――――――――
```

🎯 1단계 덧셈과 뺄셈

2. 받아올림이 한 번 있는 (세 자리 수)+(세 자리 수)

예 542+631의 계산

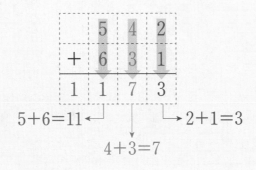

5+6=11 ←

4+3=7

→ 2+1=3

백의 자리에서 받아올림한 수는 천의 자리에 그대로 쓰면 돼!

🐙 계산을 하세요.

1

	3	4	3
+	9	5	2
1	2	9	5

백의 자리 수의 합이 12니까
1을 천의 자리에 쓰면 돼.

2

	3	8	6
+	8	0	3

3

	4	1	2
+	6	7	5

4

	4	0	4
+	8	5	4

5

	5	3	1
+	5	3	6

6

	6	2	5
+	7	6	3

7

	7	2	4
+	9	2	1

8

	8	9	2
+	5	0	7

9

	9	5	0
+	8	1	3

🐙 계산을 하세요.

10
```
    2 6 2
+   8 1 4
---------
```

11
```
    2 3 6
+   9 5 3
---------
```

12
```
    3 1 2
+   7 4 5
---------
```

13
```
    3 4 1
+   8 4 0
---------
```

14
```
    4 7 5
+   7 2 4
---------
```

15
```
    4 7 2
+   9 1 3
---------
```

16
```
    5 3 0
+   6 4 3
---------
```

17
```
    5 5 1
+   8 1 5
---------
```

18
```
    6 7 1
+   6 0 2
---------
```

19
```
    6 3 8
+   9 3 1
---------
```

20
```
    7 2 4
+   4 6 2
---------
```

21
```
    7 4 2
+   7 1 7
---------
```

22
```
    8 0 1
+   5 2 1
---------
```

23
```
    8 3 6
+   7 1 0
---------
```

24
```
    9 5 4
+   9 2 4
---------
```

2. 받아올림이 한 번 있는 (세 자리 수)+(세 자리 수)

🐙 계산을 하세요.

1 108+324

2 423+147

3 249+323

4 519+174

5 316+264

6 396+461

7 154+593

8 445+382

9 273+575

10 562+271

11 163+923

12 252+826

13 736+953

14 532+842

🐙 동물 수의 합을 구하세요.

491마리	482마리	605마리	123마리	257마리

15

```
    4 9 1
+   4 8 2
```
(마리)

16

```
    2 5 7
+   1 2 3
```
(마리)

17

(마리)

18

(마리)

19

(마리)

20

(마리)

💡 **생활 속 연산**

시윤이네 학교에서는 작년에 책 215권을 도서관에 기부했고, 올해는 작년보다 178권 더 많이 기부했습니다. 시윤이네 학교에서 올해 기부한 책은 몇 권인지 구하세요.

(　　　　　　　　)

3. 받아올림이 두 번 있는 (세 자리 수)+(세 자리 수)

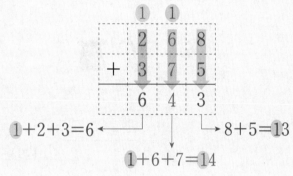

예 268+375의 계산

1+2+3=6 ← 8+5=13
1+6+7=14

받아올림한 수도
잊지 말고 더해야 해.

🐙 계산을 하세요.

1
```
  1 3 8
+ 1 7 9
───────
  3 1 7
```

2
```
  1 5 3
+ 4 6 8
───────
```

3
```
  2 9 5
+ 3 2 5
───────
```

4
```
  6 1 7
+ 5 7 6
───────
```

5
```
  9 0 8
+ 4 8 4
───────
```

6
```
  4 1 9
+ 8 7 2
───────
```

7
```
  5 4 6
+ 9 9 1
───────
```

8
```
  6 8 5
+ 7 7 2
───────
```

9
```
  7 4 8
+ 2 6 1
───────
```

🐙 계산을 하세요.

10
```
    1 8 4
+   2 5 7
─────────
```

11
```
    1 9 2
+   3 6 8
─────────
```

12
```
    2 3 6
+   5 9 6
─────────
```

13
```
    2 7 9
+   6 2 5
─────────
```

14
```
    3 5 7
+   2 6 8
─────────
```

15
```
    3 1 5
+   9 7 6
─────────
```

16
```
    8 1 6
+   2 0 7
─────────
```

17
```
    7 0 6
+   4 8 5
─────────
```

18
```
    5 4 7
+   9 2 3
─────────
```

19
```
    5 6 8
+   8 2 9
─────────
```

20
```
    6 5 5
+   6 5 4
─────────
```

21
```
    2 7 8
+   9 5 1
─────────
```

22
```
    6 9 9
+   8 9 0
─────────
```

23
```
    4 3 2
+   7 8 7
─────────
```

24
```
    7 1 1
+   9 9 4
─────────
```

◎ 1단계 덧셈과 뺄셈

3. 받아올림이 두 번 있는 (세 자리 수)+(세 자리 수)

🐙 계산을 하세요.

1 184+128

2 198+434

3 259+173

4 234+499

5 359+365

6 386+156

7 457+803

8 702+389

9 975+915

10 859+439

11 445+993

12 677+841

13 783+560

14 793+315

 계산을 하세요.

15

| 126 | +495 | |

16

| 248 | +379 | |

17

| 335 | +288 | |

18

| 436 | +904 | |

19

| 137 | +928 | |

20

| 527 | +746 | |

21

| 294 | +781 | |

22

| 543 | +893 | |

23

| 676 | +452 | |

24

| 765 | +751 | |

25

| 528 | +624 | |

수학만 단련시키지 말고
운동해서 몸도 단련시키자!

3. 받아올림이 두 번 있는 (세 자리 수)+(세 자리 수)

🐙 계산을 하세요.

1 169+763

2 198+475

3 256+258

4 246+574

5 328+952

6 389+803

7 727+364

8 148+904

9 547+862

10 295+844

11 455+884

12 756+481

13 626+793

14 660+368

15 두더지가 주어진 덧셈식의 계산 결과를 따라 집으로 가려고 합니다. 두더지가 가야 하는 길을 선으로 이으세요.

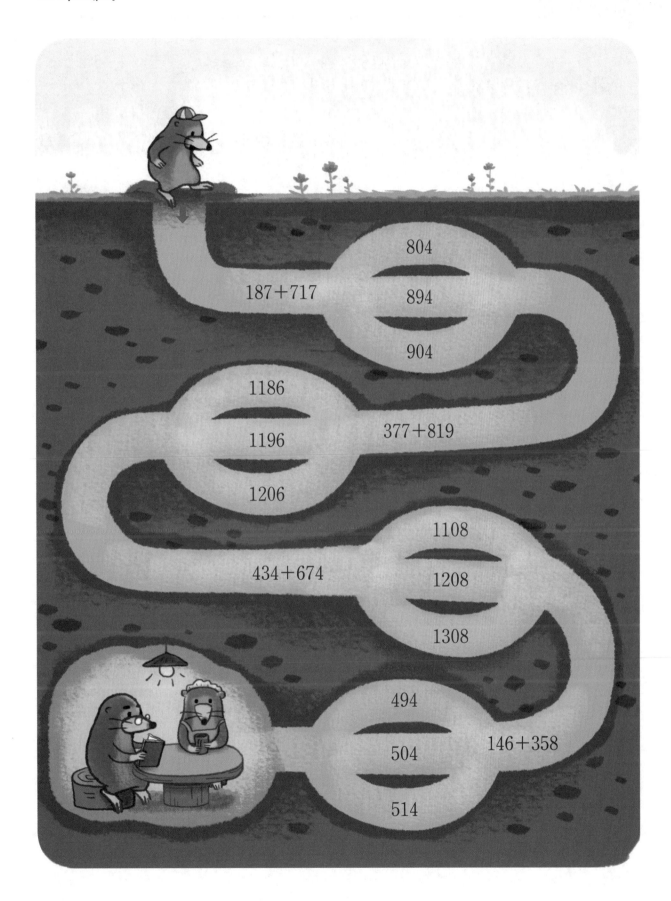

🎯 1단계 덧셈과 뺄셈

4. 받아올림이 세 번 있는 (세 자리 수)+(세 자리 수)

예 483+549의 계산

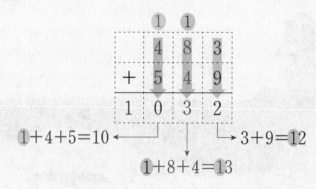

$1+4+5=10$ $3+9=12$

$1+8+4=13$

🐙 계산을 하세요.

1
```
    1  4  6
 +  9  6  4
 ----------
 1  1  1  0
```

2
```
    2  5  7
 +  8  7  8
 ----------
```

3
```
    3  3  2
 +  8  9  8
 ----------
```

4
```
    3  8  5
 +  6  7  6
 ----------
```

5
```
    5  8  6
 +  4  3  9
 ----------
```

6
```
    6  7  9
 +  8  5  3
 ----------
```

7
```
    5  5  7
 +  7  9  3
 ----------
```

8
```
    7  9  7
 +  6  6  6
 ----------
```

9
```
    9  1  4
 +  7  9  8
 ----------
```

🐙 계산을 하세요.

10
```
    1 6 7
+   8 6 7
─────────
```

11
```
    2 7 5
+   8 5 6
─────────
```

12
```
    3 3 9
+   6 6 1
─────────
```

13
```
    4 1 6
+   7 9 6
─────────
```

14
```
    4 9 3
+   9 7 9
─────────
```

15
```
    5 2 8
+   5 8 5
─────────
```

16
```
    5 4 7
+   6 8 4
─────────
```

17
```
    6 6 8
+   6 7 5
─────────
```

18
```
    6 6 5
+   8 8 5
─────────
```

19
```
    7 7 9
+   4 7 7
─────────
```

20
```
    7 9 3
+   7 0 7
─────────
```

21
```
    8 5 4
+   5 5 8
─────────
```

22
```
    8 7 9
+   8 9 5
─────────
```

23
```
    9 6 8
+   6 9 8
─────────
```

4. 받아올림이 세 번 있는 (세 자리 수)+(세 자리 수)

🐙 계산을 하세요.

1 258+862

2 286+879

3 475+629

4 407+693

5 456+944

6 545+769

7 635+477

8 692+639

9 726+696

10 747+965

11 812+398

12 823+198

13 974+338

14 987+418

🐙 계산을 하세요.

15
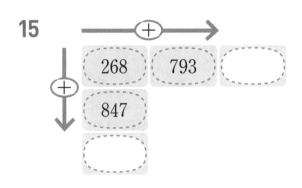

16
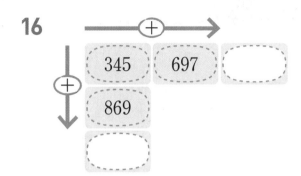

17
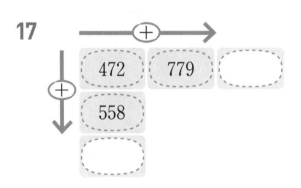

18
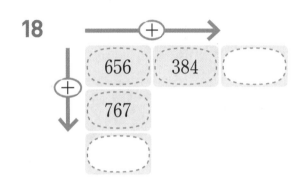

19
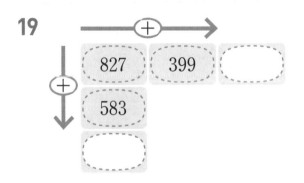

20
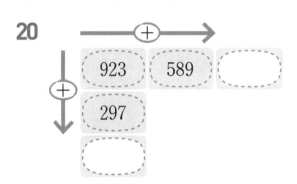

💡 **생활 속 연산**

오늘 놀이공원에 입장한 사람은 오전에 774명, 오후에 639명입니다. 오늘 놀이공원에 입장한 사람은 모두 몇 명인지 구하세요.

(　　　　　　　　　)

🎯 1단계 덧셈과 뺄셈

5. 받아내림이 없는 (세 자리 수)−(세 자리 수)

예 375−142의 계산

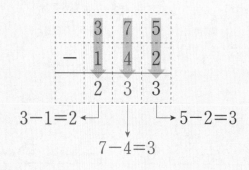

자리를 맞추고
같은 자리 수끼리 빼자!

🐙 계산을 하세요.

1

```
    2 9 6
  − 1 4 3
    1 5 3
```
같은 자리 수끼리 빼.

2

```
    3 8 2
  − 2 6 1
```

3

```
    4 5 7
  − 3 1 7
```

4

```
    5 9 3
  − 1 5 2
```

5

```
    6 2 6
  − 2 2 3
```

6

```
    7 4 5
  − 4 1 3
```

7

```
    8 6 7
  − 3 5 6
```

8

```
    8 8 4
  − 7 2 2
```

9

```
    9 7 2
  − 4 5 1
```

🐙 계산을 하세요.

10

```
    2  1  7
−   1  0  4
```

11

```
    3  6  5
−   1  3  5
```

12

```
    3  9  3
−   2  8  1
```

13

```
    4  8  7
−   1  2  2
```

14

```
    4  9  3
−   2  5  0
```

15

```
    5  7  4
−   2  7  2
```

16

```
    5  4  6
−   4  3  5
```

17

```
    6  8  4
−   1  5  4
```

18

```
    6  2  5
−   3  1  1
```

19

```
    7  3  7
−   2  2  6
```

20

```
    7  9  8
−   5  9  4
```

21

```
    8  4  4
−   4  0  3
```

22

```
    8  4  8
−   7  1  7
```

23

```
    9  5  9
−   3  0  6
```

24

```
    9  8  8
−   6  8  1
```

5. 받아내림이 없는 (세 자리 수)−(세 자리 수)

🐙 계산을 하세요.

1 253−122

2 345−234

3 392−192

4 444−210

5 449−312

6 549−317

7 574−242

8 615−314

9 692−142

10 776−613

11 847−217

12 873−252

13 956−455

14 975−861

 계산을 하세요.

15

16

17

18

19

20

21

22

23

24

25

26

🎯 1단계 덧셈과 뺄셈

6. 받아내림이 한 번 있는 (세 자리 수)−(세 자리 수)

예 294−135의 계산

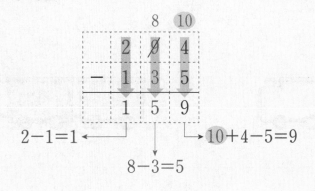

$$2-1=1 \qquad 10+4-5=9$$
$$8-3=5$$

일의 자리 수끼리 뺄 수 없으면 십의 자리에서 받아내림하여 계산해!

🐙 계산을 하세요.

1

	2	5	0
−	1	2	7
	1	2	3

0에서 7을 뺄 수 없으니
십의 자리에서 받아내림하여
10에서 7을 빼.

2

	3	4	5
−	2	1	8

3

	4	3	4
−	1	1	9

4

	4	8	3
−	2	4	7

5

	5	7	1
−	4	3	5

6

	6	3	2
−	3	2	4

7

	7	6	2
−	4	1	5

8

	8	5	0
−	6	2	5

9

	9	9	2
−	5	7	7

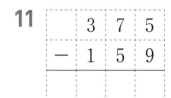 계산을 하세요.

10
```
    2 4 2
  - 1 0 8
```

11
```
    3 7 5
  - 1 5 9
```

12
```
    3 8 3
  - 2 7 6
```

13
```
    4 6 1
  - 2 1 2
```

14
```
    4 9 4
  - 3 4 7
```

15
```
    5 5 6
  - 1 2 9
```

16
```
    5 3 7
  - 3 2 8
```

17
```
    6 7 3
  - 2 2 8
```

18
```
    6 2 4
  - 4 1 7
```

19
```
    7 6 1
  - 2 3 4
```

20
```
    7 9 4
  - 3 7 8
```

21
```
    8 8 2
  - 4 0 9
```

22
```
    8 9 6
  - 6 3 7
```

23
```
    9 4 2
  - 5 2 6
```

24
```
    9 8 3
  - 8 6 8
```

6. 받아내림이 한 번 있는 (세 자리 수)−(세 자리 수)

예 865−282의 계산

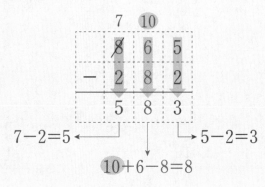

십의 자리 수끼리 뺄 수 없으면 백의 자리에서 받아내림하여 계산해!

$7-2=5$ $5-2=3$

$10+6-8=8$

🐙 계산을 하세요.

1
```
    3 0 8
  − 1 9 3
    1 1 5
```
0에서 9를 뺄 수 없으니 백의 자리에서 받아내림하여 10에서 9를 빼.

2
```
    4 5 4
  − 1 8 1
```

3
```
    4 2 6
  − 2 7 4
```

4
```
    5 4 5
  − 3 5 4
```

5
```
    6 1 9
  − 2 3 5
```

6
```
    7 3 7
  − 4 6 1
```

7
```
    8 6 3
  − 4 9 3
```

8
```
    8 7 8
  − 5 8 3
```

9
```
    9 8 9
  − 7 9 2
```

🐙 계산을 하세요.

10
```
    2 5 7
  - 1 8 4
```

11
```
    3 0 6
  - 1 3 6
```

12
```
    3 4 9
  - 2 5 1
```

13
```
    4 1 5
  - 1 9 2
```

14
```
    4 6 3
  - 2 7 0
```

15
```
    5 3 8
  - 1 6 3
```

16
```
    5 7 6
  - 3 9 5
```

17
```
    6 5 4
  - 2 7 3
```

18
```
    6 1 6
  - 4 5 3
```

19
```
    7 2 8
  - 2 3 7
```

20
```
    7 5 9
  - 5 9 6
```

21
```
    8 0 7
  - 3 5 2
```

22
```
    8 4 1
  - 5 7 0
```

23
```
    9 3 5
  - 4 8 1
```

24
```
    9 2 8
  - 7 3 4
```

🎯 1단계 덧셈과 뺄셈

6. 받아내림이 한 번 있는 (세 자리 수) ─ (세 자리 수)

🐙 계산을 하세요.

1 214 − 107

2 292 − 114

3 336 − 128

4 371 − 145

5 468 − 259

6 457 − 249

7 583 − 357

8 653 − 193

9 648 − 452

10 679 − 290

11 761 − 390

12 753 − 571

13 874 − 182

14 948 − 881

🐙 계산을 하세요.

15
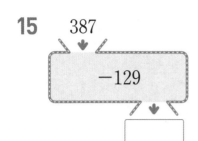
387
−129

16
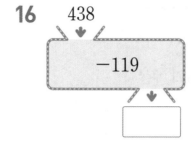
438
−119

17
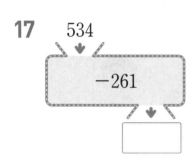
534
−261

18
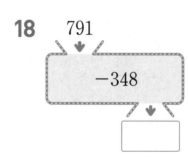
791
−348

19
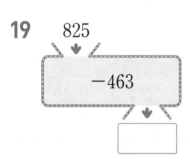
825
−463

20
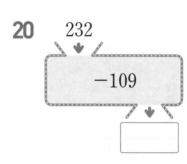
232
−109

21
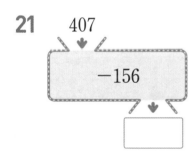
407
−156

22
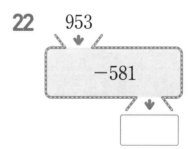
953
−581

💡 **생활 속 연산**

대한민국 최남단에 위치한 섬인 마라도에 가는 배의 정원은 294명입니다. 지금 125명이 탑승했다면 더 탑승할 수 있는 사람은 몇 명인지 구하세요.

(　　　　　　　　　)

7. 받아내림이 두 번 있는 (세 자리 수) − (세 자리 수)

예 345−189의 계산

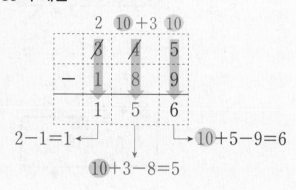

각 자리 수끼리 뺄 수 없을 때는 바로 윗자리에서 받아내림을 해야 해!

2−1=1 ←

10+3−8=5

→ 10+5−9=6

🐙 계산을 하세요.

1

```
    4  3  0
 −  1  5  2
    2  7  8
```

받아내림이 2번 있는 계산이니까 주의해서 계산해.

2

```
    3  5  6
 −  1  5  9
```

3

```
    4  1  0
 −  2  6  8
```

4

```
    5  2  3
 −  3  4  4
```

5

```
    6  4  0
 −  3  5  9
```

6

```
    6  5  3
 −  1  6  8
```

7

```
    7  8  0
 −  2  9  7
```

8

```
    8  3  7
 −  4  8  9
```

9

```
    9  5  4
 −  5  5  7
```

🐙 계산을 하세요.

10
$$\begin{array}{r} 2\ 0\ 2 \\ -\ 1\ 5\ 5 \\ \hline \end{array}$$

11
$$\begin{array}{r} 3\ 6\ 4 \\ -\ 1\ 8\ 6 \\ \hline \end{array}$$

12
$$\begin{array}{r} 3\ 8\ 1 \\ -\ 2\ 9\ 2 \\ \hline \end{array}$$

13
$$\begin{array}{r} 4\ 2\ 2 \\ -\ 1\ 5\ 3 \\ \hline \end{array}$$

14
$$\begin{array}{r} 4\ 5\ 3 \\ -\ 3\ 7\ 5 \\ \hline \end{array}$$

15
$$\begin{array}{r} 5\ 2\ 7 \\ -\ 2\ 3\ 8 \\ \hline \end{array}$$

16
$$\begin{array}{r} 5\ 8\ 0 \\ -\ 3\ 8\ 9 \\ \hline \end{array}$$

17
$$\begin{array}{r} 6\ 3\ 1 \\ -\ 3\ 7\ 3 \\ \hline \end{array}$$

18
$$\begin{array}{r} 6\ 0\ 7 \\ -\ 4\ 5\ 9 \\ \hline \end{array}$$

19
$$\begin{array}{r} 7\ 1\ 1 \\ -\ 2\ 3\ 5 \\ \hline \end{array}$$

20
$$\begin{array}{r} 7\ 5\ 4 \\ -\ 5\ 7\ 8 \\ \hline \end{array}$$

21
$$\begin{array}{r} 8\ 4\ 0 \\ -\ 3\ 5\ 1 \\ \hline \end{array}$$

22
$$\begin{array}{r} 8\ 5\ 2 \\ -\ 4\ 9\ 9 \\ \hline \end{array}$$

23
$$\begin{array}{r} 9\ 4\ 5 \\ -\ 6\ 6\ 7 \\ \hline \end{array}$$

24
$$\begin{array}{r} 9\ 6\ 1 \\ -\ 7\ 6\ 8 \\ \hline \end{array}$$

7. 받아내림이 두 번 있는 (세 자리 수)−(세 자리 수)

🐙 계산을 하세요.

1 923−144

2 246−157

3 361−266

4 415−239

5 460−192

6 505−148

7 533−289

8 612−455

9 652−384

10 705−578

11 752−376

12 800−411

13 860−763

14 950−564

🐙 동전 지갑에서 다음과 같이 돈을 꺼냈습니다. 동전 지갑에 남아 있는 돈은 얼마인지 구하세요.

15

```
    2  5  2
-   1  9  5
```
(원)

16

```
    3  0  5
-   1  9  7
```
(원)

17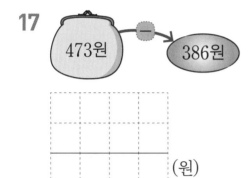

(원)

18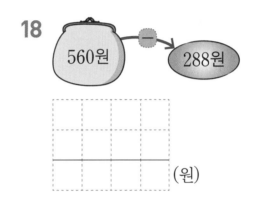

(원)

19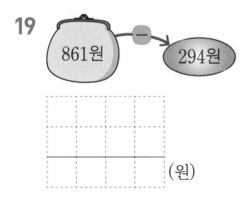

(원)

20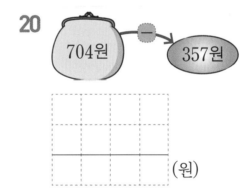

(원)

21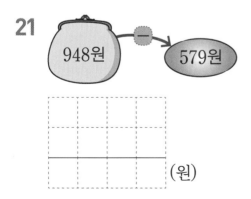

(원)

22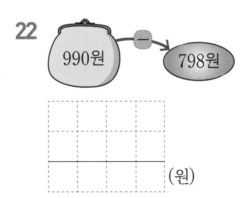

(원)

7. 받아내림이 두 번 있는 (세 자리 수) − (세 자리 수)

🐙 계산을 하세요.

1 324 − 189

2 810 − 175

3 457 − 369

4 445 − 269

5 912 − 434

6 596 − 398

7 641 − 283

8 962 − 476

9 741 − 179

10 771 − 588

11 833 − 544

12 830 − 453

13 998 − 699

14 823 − 156

🐙 두 수의 차를 구하세요.

15

736   257

16

514   385

17

620   524

18

701   194

19

843   457

20

971   586

21

314   168

22

864   595

💡 **생활 속 연산**

어느 고속열차의 일반실에는 307명이 타고 있고, 특실에는 일반실보다 178명이 적게 타고 있습니다. 특실에 타고 있는 사람은 몇 명인지 구하세요.

(   )

1단계 덧셈과 뺄셈

마무리 연산

🐙 계산을 하세요.

1
```
    2 9 4
+   3 0 5
```

2
```
    8 4 3
+   1 3 0
```

3
```
    2 4 4
+   3 1 4
```

4
```
    1 4 8
+   6 2 4
```

5
```
    4 3 3
+   4 9 5
```

6
```
    6 4 6
+   2 3 6
```

7
```
    5 9 4
+   2 3 7
```

8
```
    4 6 9
+   5 4 0
```

9
```
    1 4 3
+   9 8 2
```

10
```
    7 5 9
+   8 2 4
```

11
```
    2 4 7
+   3 5 9
```

12
```
    8 1 8
+   3 4 8
```

13
```
    5 8 4
+   8 7 6
```

14
```
    2 6 7
+   9 8 6
```

15
```
    8 9 5
+   4 3 6
```

🐙 계산을 하세요.

16 $720 + 219$

17 $863 + 135$

18 $771 + 140$

19 $131 + 193$

20 $504 + 306$

21 $508 + 273$

22 $577 + 174$

23 $614 + 539$

24 $663 + 239$

25 $652 + 567$

26 $163 + 908$

27 $254 + 966$

28 $565 + 638$

29 $427 + 793$

마무리 연산

🐙 계산을 하세요.

1

	9	6	8
−	7	4	6

2

	6	5	9
−	1	4	9

3

	9	7	9
−	3	2	0

4

	9	1	6
−	7	5	3

5

	6	7	2
−	2	6	4

6

	7	8	2
−	6	7	5

7

	5	6	2
−	3	7	0

8

	7	5	0
−	6	2	9

9

	7	1	9
−	1	9	4

10

	6	2	3
−	1	4	7

11

	5	0	8
−	2	7	9

12

	9	3	6
−	3	3	7

13

	8	4	0
−	3	4	6

14

	5	2	1
−	3	2	5

15

	4	2	1
−	1	9	8

🐙 계산을 하세요.

16 $848-145$

17 $796-264$

18 $317-112$

19 $428-324$

20 $898-203$

21 $912-309$

22 $519-127$

23 $870-616$

24 $909-546$

25 $941-148$

26 $701-593$

27 $613-364$

28 $822-247$

29 $520-261$

2

나눗셈

꾸준하게 풀면 어느새
연산 실력이 엄청 향상되어
있을 거야!

학습 결과와 시간을 써 보세요!

학습 내용	학습 회차	맞힌 개수/걸린 시간
1. 나눗셈식으로 나타내기	DAY 01	/
	DAY 02	/
2. 곱셈과 나눗셈의 관계	DAY 03	/
	DAY 04	/
3. 나눗셈의 몫 구하기	DAY 05	/
	DAY 06	/
	DAY 07	/
마무리 연산	DAY 08	/

◎ 2단계 나눗셈

1. 나눗셈식으로 나타내기

예 6을 3묶음으로 똑같이 나누기

$6 \div 3 = 2$ ← 몫

6 나누기 3은 2와 같습니다.

6÷3=2와 같은 식을
나눗셈식이라고 해

🐙 구슬을 주어진 묶음으로 똑같이 나누면 한 묶음에 몇 개씩인지 알아보세요.

1

2묶음

$10 \div \boxed{2} = \boxed{5}$ (개)

→ 2묶음으로 나누니까
2로 나누어야 해.

2

5묶음

$10 \div \boxed{} = \boxed{}$ (개)

→ 5묶음으로 나누니까
5로 나누어야 해.

3

2묶음

$12 \div \boxed{} = \boxed{}$ (개)

4

6묶음

$12 \div \boxed{} = \boxed{}$ (개)

5

3묶음

$15 \div \boxed{} = \boxed{}$ (개)

6

5묶음

$15 \div \boxed{} = \boxed{}$ (개)

🐙 구슬을 주어진 개수만큼씩 묶으면 몇 묶음이 되는지 알아보세요.

7 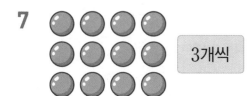 3개씩

$12 \div \boxed{3} = \boxed{4}$ (묶음)

↳ 3개씩 묶으니까
3으로 나누어야 해.

8 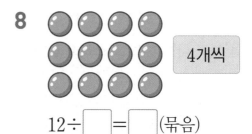 4개씩

$12 \div \boxed{} = \boxed{}$ (묶음)

9 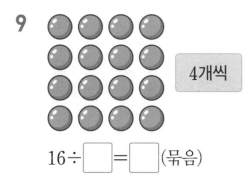 4개씩

$16 \div \boxed{} = \boxed{}$ (묶음)

10 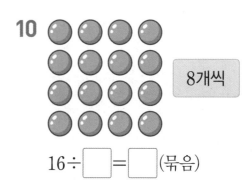 8개씩

$16 \div \boxed{} = \boxed{}$ (묶음)

11 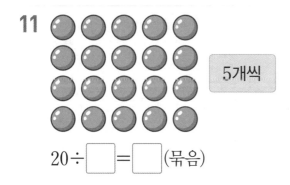 5개씩

$20 \div \boxed{} = \boxed{}$ (묶음)

12 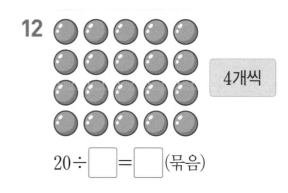 4개씩

$20 \div \boxed{} = \boxed{}$ (묶음)

13 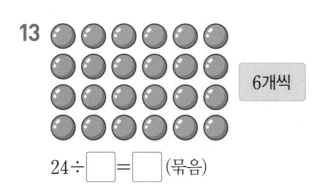 6개씩

$24 \div \boxed{} = \boxed{}$ (묶음)

14 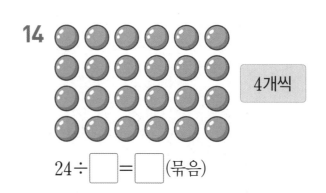 4개씩

$24 \div \boxed{} = \boxed{}$ (묶음)

2단계 나눗셈

1. 나눗셈식으로 나타내기

🐙 뺄셈식을 보고 나눗셈식으로 쓰려고 합니다. ☐ 안에 알맞은 수를 써넣으세요.

1

$9-3-3-3=0$

➜ $9 \div 3 = \boxed{}$

2

$14-7-7=0$

➜ $14 \div 7 = \boxed{}$

3

$18-3-3-3-3-3-3=0$

➜ $18 \div 3 = \boxed{}$

4

$21-3-3-3-3-3-3-3=0$

➜ $21 \div 3 = \boxed{}$

5

$24-8-8-8=0$

➜ $24 \div 8 = \boxed{}$

6

$28-7-7-7-7=0$

➜ $28 \div 7 = \boxed{}$

7

$30-6-6-6-6-6=0$

➜ $30 \div 6 = \boxed{}$

8

$32-4-4-4-4-4-4-4-4=0$

➜ $32 \div 4 = \boxed{}$

9

$36-6-6-6-6-6-6=0$

➜ $36 \div 6 = \boxed{}$

10

$40-8-8-8-8-8=0$

➜ $40 \div 8 = \boxed{}$

🐙 뺄셈식을 보고 나눗셈식으로 쓰려고 합니다. ☐ 안에 알맞은 수를 써넣으세요.

11

$8-2-2-2-2=0$

➜ $8 \div 2 = \boxed{}$

12

$14-2-2-2-2-2-2-2=0$

➜ $14 \div \boxed{} = \boxed{}$

13

$27-9-9-9=0$

➜ $27 \div \boxed{} = \boxed{}$

14

$35-7-7-7-7-7=0$

➜ $35 \div \boxed{} = \boxed{}$

15

$42-7-7-7-7-7-7=0$

➜ $42 \div \boxed{} = \boxed{}$

16

$45-9-9-9-9-9=0$

➜ $45 \div \boxed{} = \boxed{}$

17

$54-9-9-9-9-9-9=0$

➜ $54 \div \boxed{} = \boxed{}$

18

$56-8-8-8-8-8-8-8=0$

➜ $56 \div \boxed{} = \boxed{}$

💡 생활 속 연산

카드 12장으로 게임을 하려고 합니다. 한 사람이 카드를 4장씩 나누어 가지면 몇 명까지 게임을 할 수 있는지 구하세요.

(   )

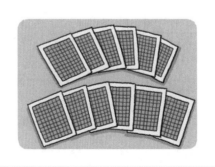

◎2단계 나눗셈

2. 곱셈과 나눗셈의 관계

● 곱셈식을 보고 나눗셈식을, 나눗셈식을 보고 곱셈식을 만들기

$$3 \times 4 = 12$$

$12 \div 3 = 4$ ← 12를 3씩 묶으면 4묶음이 됩니다.

$12 \div 4 = 3$ ← 12를 똑같이 4묶음으로 나누면 한 묶음에 3입니다.

🐙 곱셈식을 나눗셈식으로 나타내려고 합니다. ☐ 안에 알맞은 수를 써넣으세요.

1

$$2 \times 3 = 6$$

$6 \div 2 = \boxed{}$

$6 \div 3 = \boxed{}$

2

$$3 \times 5 = 15$$

$15 \div 3 = \boxed{}$

$15 \div 5 = \boxed{}$

3

$$4 \times 6 = 24$$

$24 \div 4 = \boxed{}$

$24 \div 6 = \boxed{}$

4

$$5 \times 7 = 35$$

$35 \div 5 = \boxed{}$

$35 \div 7 = \boxed{}$

5

$$6 \times 7 = 42$$

$42 \div 6 = \boxed{}$

$42 \div 7 = \boxed{}$

6

$$7 \times 8 = 56$$

$56 \div 7 = \boxed{}$

$56 \div 8 = \boxed{}$

7

$$8 \times 6 = 48$$

$48 \div 8 = \boxed{}$

$48 \div 6 = \boxed{}$

8

$$9 \times 8 = 72$$

$72 \div 9 = \boxed{}$

$72 \div 8 = \boxed{}$

🐙 나눗셈식을 곱셈식으로 나타내려고 합니다. ☐ 안에 알맞은 수를 써넣으세요.

9 $8 \div 2 = 4$

$2 \times 4 = \boxed{}$

$4 \times \boxed{} = 8$

10 $12 \div 4 = 3$

$\boxed{} \times 3 = 12$

$3 \times 4 = \boxed{}$

11 $18 \div 9 = 2$

$9 \times 2 = \boxed{}$

$2 \times \boxed{} = 18$

12 $21 \div 3 = 7$

$\boxed{} \times 7 = 21$

$7 \times 3 = \boxed{}$

13 $28 \div 7 = 4$

$7 \times 4 = \boxed{}$

$4 \times \boxed{} = 28$

14 $30 \div 6 = 5$

$\boxed{} \times 5 = 30$

$5 \times 6 = \boxed{}$

15 $36 \div 4 = 9$

$4 \times 9 = \boxed{}$

$9 \times \boxed{} = 36$

16 $40 \div 5 = 8$

$\boxed{} \times 8 = 40$

$8 \times 5 = \boxed{}$

17 $45 \div 9 = 5$

$9 \times 5 = \boxed{}$

$5 \times \boxed{} = 45$

18 $56 \div 8 = 7$

$\boxed{} \times 7 = 56$

$7 \times 8 = \boxed{}$

연산 연습으로 수학 실력 UP! UP!

19 $63 \div 7 = 9$

$7 \times 9 = \boxed{}$

$9 \times \boxed{} = \boxed{}$

2단계 나눗셈

2. 곱셈과 나눗셈의 관계

🐙 곱셈식을 나눗셈식으로 나타내려고 합니다. ☐ 안에 알맞은 수를 써넣으세요.

1

$2 \times 4 = 8$

$8 \div 2 = \boxed{}$

$8 \div 4 = \boxed{}$

2

$2 \times 5 = 10$

$10 \div 2 = \boxed{}$

$10 \div 5 = \boxed{}$

3

$4 \times 8 = 32$

$32 \div 4 = \boxed{}$

$32 \div 8 = \boxed{}$

4

$5 \times 3 = 15$

$15 \div 5 = \boxed{}$

$15 \div 3 = \boxed{}$

5

$6 \times 4 = 24$

$\boxed{} \div 6 = \boxed{}$

$\boxed{} \div 4 = \boxed{}$

6

$7 \times 8 = 56$

$\boxed{} \div 7 = \boxed{}$

$\boxed{} \div 8 = \boxed{}$

7

$7 \times 9 = 63$

$\boxed{} \div 7 = \boxed{}$

$\boxed{} \div 9 = \boxed{}$

8

$8 \times 5 = 40$

$\boxed{} \div 8 = \boxed{}$

$\boxed{} \div 5 = \boxed{}$

9

$8 \times 9 = 72$

$\boxed{} \div 8 = \boxed{}$

$\boxed{} \div 9 = \boxed{}$

10

$9 \times 3 = 27$

$\boxed{} \div 9 = \boxed{}$

$\boxed{} \div 3 = \boxed{}$

🐙 나눗셈식을 곱셈식으로 나타내려고 합니다. ☐ 안에 알맞은 수를 써넣으세요.

11 $15 \div 3 = 5$

$3 \times \boxed{} = \boxed{}$

$5 \times \boxed{} = \boxed{}$

12 $20 \div 4 = 5$

$4 \times \boxed{} = \boxed{}$

$5 \times \boxed{} = \boxed{}$

13 $24 \div 3 = 8$

$3 \times \boxed{} = \boxed{}$

$8 \times \boxed{} = \boxed{}$

14 $24 \div 4 = 6$

$4 \times \boxed{} = \boxed{}$

$6 \times \boxed{} = \boxed{}$

15 $30 \div 5 = 6$

$5 \times \boxed{} = \boxed{}$

$6 \times \boxed{} = \boxed{}$

16 $32 \div 4 = 8$

$4 \times \boxed{} = \boxed{}$

$8 \times \boxed{} = \boxed{}$

17 $35 \div 5 = 7$

$\boxed{} \times 7 = \boxed{}$

$\boxed{} \times 5 = \boxed{}$

18 $42 \div 7 = 6$

$\boxed{} \times 6 = \boxed{}$

$\boxed{} \times 7 = \boxed{}$

19 $45 \div 5 = 9$

$\boxed{} \times 9 = \boxed{}$

$\boxed{} \times 5 = \boxed{}$

20 $48 \div 8 = 6$

$\boxed{} \times 6 = \boxed{}$

$\boxed{} \times 8 = \boxed{}$

21 $54 \div 6 = 9$

$\boxed{} \times 9 = \boxed{}$

$\boxed{} \times 6 = \boxed{}$

22 $63 \div 9 = 7$

$\boxed{} \times 7 = \boxed{}$

$\boxed{} \times 9 = \boxed{}$

2단계 나눗셈

3. 나눗셈의 몫 구하기

예 18÷9의 몫 구하기

$$9 \times \boxed{2} = 18 \longleftrightarrow 18 \div 9 = \boxed{2} \leftarrow 몫$$

↳ 9단 곱셈구구

9단 곱셈구구를 이용하여
몫을 찾아봐!

🐙 곱셈식을 이용하여 나눗셈의 몫을 구하려고 합니다. ☐ 안에 알맞은 수를 써넣으세요.

1 $2 \times 7 = 14 \longleftrightarrow 14 \div 2 = \boxed{} \leftarrow 몫$

2 $3 \times 6 = 18 \longleftrightarrow 18 \div 3 = \boxed{}$

3 $6 \times 4 = 24 \longleftrightarrow 24 \div 6 = \boxed{}$

4 $5 \times 5 = 25 \longleftrightarrow 25 \div 5 = \boxed{}$

5 $4 \times 8 = 32 \longleftrightarrow 32 \div 4 = \boxed{}$

6 $7 \times 5 = 35 \longleftrightarrow 35 \div 7 = \boxed{}$

7 $8 \times 6 = 48 \longleftrightarrow 48 \div 8 = \boxed{}$

8 $9 \times 8 = 72 \longleftrightarrow 72 \div 9 = \boxed{}$

🐙 곱셈식을 이용하여 나눗셈의 몫을 구하려고 합니다. ☐ 안에 알맞은 수를 써넣으세요.

9 $\boxed{} \times 2 = 12 \longleftrightarrow 12 \div 2 = \boxed{}$ **10** $4 \times \boxed{} = 12 \longleftrightarrow 12 \div 4 = \boxed{}$

11 $\boxed{} \times 4 = 28 \longleftrightarrow 28 \div 4 = \boxed{}$ **12** $6 \times \boxed{} = 18 \longleftrightarrow 18 \div 6 = \boxed{}$

13 $\boxed{} \times 5 = 40 \longleftrightarrow 40 \div 5 = \boxed{}$ **14** $6 \times \boxed{} = 54 \longleftrightarrow 54 \div 6 = \boxed{}$

15 $\boxed{} \times 8 = 16 \longleftrightarrow 16 \div 8 = \boxed{}$ **16** $3 \times \boxed{} = 15 \longleftrightarrow 15 \div 3 = \boxed{}$

17 $\boxed{} \times 5 = 30 \longleftrightarrow 30 \div 5 = \boxed{}$ **18** $7 \times \boxed{} = 21 \longleftrightarrow 21 \div 7 = \boxed{}$

19 $\boxed{} \times 6 = 42 \longleftrightarrow 42 \div 6 = \boxed{}$ **20** $8 \times \boxed{} = 56 \longleftrightarrow 56 \div 8 = \boxed{}$

21 $\boxed{} \times 6 = 24 \longleftrightarrow 24 \div 6 = \boxed{}$ **22** $5 \times \boxed{} = 35 \longleftrightarrow 35 \div 5 = \boxed{}$

◎ 2단계 나눗셈

3. 나눗셈의 몫 구하기

예 20÷5의 몫 구하기

5단
5×1=5
5×2=10
5×3=15
5×4=20

20÷5=4 ←몫

5단에서
곱이 20인 수 찾기

5단에서
5×★=20이 되는
★을 찾아봐

🐙 계산을 하세요.

1 6÷2

2 15÷3

3 16÷4

4 24÷8

5 18÷6

6 30÷6

7 48÷8

8 40÷5

9 56÷7

10 64÷8

🐙 계산을 하세요.

11

10 ÷ 2

12

12 ÷ 3

13

18 ÷ 3

14
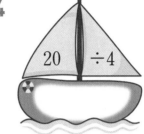
20 ÷ 4

15

24 ÷ 4

16

27 ÷ 3

17

36 ÷ 6

18
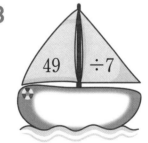
49 ÷ 7

19

45 ÷ 9

20
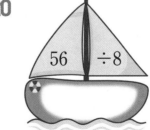
56 ÷ 8

2단계 나눗셈

3. 나눗셈의 몫 구하기

🐙 계산을 하세요.

1 4÷2

2 9÷3

3 10÷5

4 12÷6

5 16÷8

6 18÷2

7 21÷7

8 27÷9

9 32÷8

10 36÷4

11 42÷7

12 49÷7

13 56÷8

14 72÷9

🐙 계산을 하세요.

15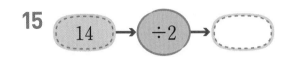

16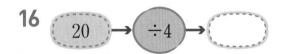

17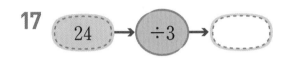

18

19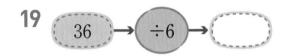

20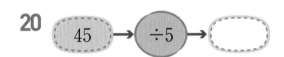

21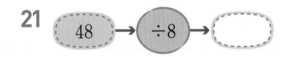

22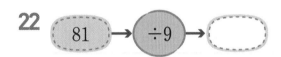

23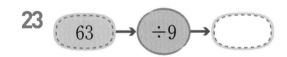

24

💡 생활 속 연산

보영이는 마스크 35개를 7명의 친구에게 똑같이 나누어 주려고 합니다. 친구 한 명에게 몇 개씩 줄 수 있는지 구하세요.

(   )

2단계 나눗셈

마무리 연산

곱셈식은 나눗셈식으로, 나눗셈식은 곱셈식으로 나타내려고 합니다. ☐ 안에 알맞은 수를 써넣으세요.

1
$2 \times 3 = 6$
$6 \div 2 = \boxed{}$
$6 \div 3 = \boxed{}$

2
$4 \times 5 = 20$
$20 \div \boxed{} = 5$
$20 \div \boxed{} = 4$

3
$5 \times 6 = 30$
$30 \div 5 = \boxed{}$
$30 \div 6 = \boxed{}$

4
$3 \times 7 = 21$
$21 \div \boxed{} = 7$
$21 \div \boxed{} = 3$

5
$5 \times 8 = 40$
$40 \div 5 = \boxed{}$
$40 \div 8 = \boxed{}$

6
$12 \div 3 = 4$
$3 \times \boxed{} = 12$
$4 \times \boxed{} = 12$

7
$24 \div 4 = 6$
$4 \times 6 = \boxed{}$
$6 \times 4 = \boxed{}$

8
$35 \div 7 = 5$
$7 \times \boxed{} = 35$
$5 \times \boxed{} = 35$

9
$45 \div 9 = 5$
$9 \times 5 = \boxed{}$
$5 \times 9 = \boxed{}$

10
$56 \div 7 = 8$
$7 \times \boxed{} = 56$
$8 \times \boxed{} = 56$

🐙 계산을 하세요.

11 $9 \div 3$

12 $10 \div 2$

13 $12 \div 3$

14 $15 \div 5$

15 $24 \div 6$

16 $25 \div 5$

17 $35 \div 5$

18 $36 \div 9$

19 $42 \div 6$

20 $49 \div 7$

21 $54 \div 9$

22 $64 \div 8$

23 $72 \div 9$

24 $81 \div 9$

3

곱셈

실수하지 않는 유일한
방법은 연습뿐이야!

학습 결과와 시간을 써 보세요!

학습 내용	학습 회차	맞힌 개수/걸린 시간
1. (몇십)×(몇)	DAY 01	/
	DAY 02	/
2. 올림이 없는 (몇십몇)×(몇)	DAY 03	/
	DAY 04	/
3. 십의 자리에서 올림이 있는 (몇십몇)×(몇)	DAY 05	/
	DAY 06	/
4. 일의 자리에서 올림이 있는 (몇십몇)×(몇)	DAY 07	/
	DAY 08	/
5. 올림이 두 번 있는 (몇십몇)×(몇)	DAY 09	/
	DAY 10	/
마무리 연산	DAY 11	/
	DAY 12	/

기초력 상승!

하나 둘! 하나 둘!

3단계 곱셈

1. (몇십)×(몇)

예 30×3의 계산

0은 그대로 쓰면 돼.

30×3=90

3×3=9

$$\begin{array}{r} 3\ 0 \\ \times\ \ \ 3 \\ \hline 9\ 0 \end{array}$$

30×3은 3×3을
계산하고 0을 1개 붙여!

□ 안에 알맞은 수를 써넣으세요.

1 2×3= 6
   20×3= 60

(몇십)×(몇)의
계산 결과는 일의
자리가 항상 0이야.

2 4×6=☐
   40×6=☐

3 5×8=☐
   50×8=☐

4 6×5=☐
   60×5=☐

5 8×9=☐
   80×9=☐

6 9×7=☐
   90×7=☐

🐙 계산을 하세요.

7　10×9

8　20×5

9　30×6

10　30×8

11　40×5

12　40×7

13　50×5

14　50×9

15　60×6

16　60×9

17　70×3

18　80×7

19　90×5

20　90×9

◎ 3단계 곱셈

1. (몇십)×(몇)

🐙 계산을 하세요.

1
```
    2 0
  ×   4
```

2
```
    2 0
  ×   7
```

3
```
    3 0
  ×   5
```

4
```
    3 0
  ×   9
```

5
```
    4 0
  ×   3
```

6
```
    4 0
  ×   8
```

7
```
    5 0
  ×   3
```

8
```
    5 0
  ×   6
```

9
```
    6 0
  ×   2
```

10
```
    6 0
  ×   7
```

11
```
    7 0
  ×   4
```

12
```
    7 0
  ×   9
```

13
```
    8 0
  ×   5
```

14
```
    8 0
  ×   8
```

15
```
    9 0
  ×   6
```

🐙 계산을 하세요.

16
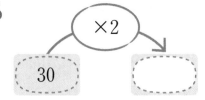

17
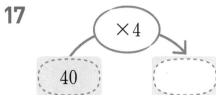

18
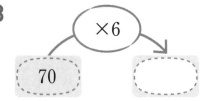

19
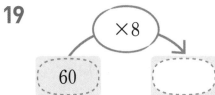

20
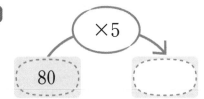

21
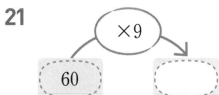

22
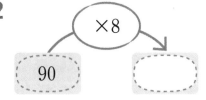

23
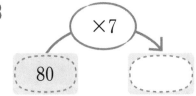

24
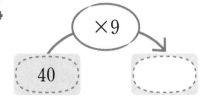

25
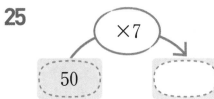

2. 올림이 없는 (몇십몇)×(몇)

예 23×2의 계산

$$3×2=6$$
$$23×2=46$$
$$2×2=4$$

$$\begin{array}{r} 2 \ 3 \\ × \quad 2 \\ \hline 4 \ 6 \end{array}$$

$2×2=4$ ←   → $3×2=6$

일의 자리 수와의 곱은 일의 자리에 쓰고, 십의 자리 수와의 곱은 십의 자리에 쓰면 돼!

🐙 계산을 하세요.

1
$$\begin{array}{r} 1 \ 2 \\ × \quad 3 \\ \hline 3 \ 6 \end{array}$$

2
$$\begin{array}{r} 1 \ 2 \\ × \quad 4 \\ \hline \end{array}$$

3
$$\begin{array}{r} 1 \ 4 \\ × \quad 2 \\ \hline \end{array}$$

4
$$\begin{array}{r} 2 \ 1 \\ × \quad 2 \\ \hline \end{array}$$

5
$$\begin{array}{r} 2 \ 3 \\ × \quad 3 \\ \hline \end{array}$$

6
$$\begin{array}{r} 3 \ 2 \\ × \quad 2 \\ \hline \end{array}$$

7
$$\begin{array}{r} 3 \ 4 \\ × \quad 2 \\ \hline \end{array}$$

8
$$\begin{array}{r} 4 \ 1 \\ × \quad 2 \\ \hline \end{array}$$

9
$$\begin{array}{r} 4 \ 4 \\ × \quad 2 \\ \hline \end{array}$$

🐙 계산을 하세요.

10
$$\begin{array}{r} 1\ 1 \\ \times \quad 2 \\ \hline \end{array}$$

11
$$\begin{array}{r} 1\ 1 \\ \times \quad 5 \\ \hline \end{array}$$

12
$$\begin{array}{r} 1\ 1 \\ \times \quad 8 \\ \hline \end{array}$$

13
$$\begin{array}{r} 1\ 2 \\ \times \quad 2 \\ \hline \end{array}$$

14
$$\begin{array}{r} 1\ 3 \\ \times \quad 3 \\ \hline \end{array}$$

15
$$\begin{array}{r} 1\ 3 \\ \times \quad 2 \\ \hline \end{array}$$

16
$$\begin{array}{r} 2\ 1 \\ \times \quad 3 \\ \hline \end{array}$$

17
$$\begin{array}{r} 2\ 2 \\ \times \quad 2 \\ \hline \end{array}$$

18
$$\begin{array}{r} 2\ 4 \\ \times \quad 2 \\ \hline \end{array}$$

19
$$\begin{array}{r} 3\ 1 \\ \times \quad 3 \\ \hline \end{array}$$

20
$$\begin{array}{r} 3\ 2 \\ \times \quad 3 \\ \hline \end{array}$$

21
$$\begin{array}{r} 3\ 3 \\ \times \quad 2 \\ \hline \end{array}$$

22
$$\begin{array}{r} 3\ 3 \\ \times \quad 3 \\ \hline \end{array}$$

23
$$\begin{array}{r} 4\ 2 \\ \times \quad 2 \\ \hline \end{array}$$

24
$$\begin{array}{r} 4\ 3 \\ \times \quad 2 \\ \hline \end{array}$$

◎ 3단계 곱셈

2. 올림이 없는 (몇십몇)×(몇)

🐙 계산을 하세요.

1 11×3 **2** 11×2

3 12×2 **4** 13×3

5 14×2 **6** 21×2

7 23×2 **8** 31×3

9 41×2 **10** 24×2

11 22×2 **12** 23×3

13 32×2 **14** 43×2

계산을 하세요.

15

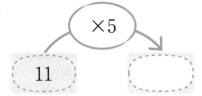

16

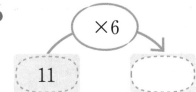

17

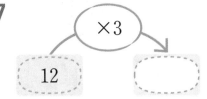

18

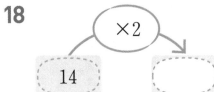

19

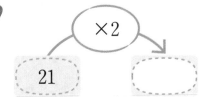

20

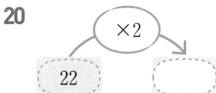

21

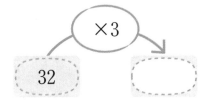

22

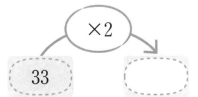

23

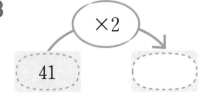

24

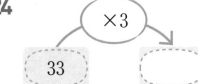

◎3단계 곱셈

3. 십의 자리에서 올림이 있는 (몇십몇)×(몇)

예 31×5의 계산

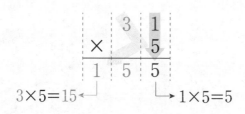

$3×5=15$ $1×5=5$

십의 자리 수와의 곱이
10이거나 10보다 크면
백의 자리로 올림해!

🐙 계산을 하세요.

1
$$\begin{array}{r} 2\ 1 \\ \times\quad 6 \\ \hline 1\ 2\ 6 \end{array}$$

2
$$\begin{array}{r} 2\ 1 \\ \times\quad 9 \\ \hline \end{array}$$

3
$$\begin{array}{r} 3\ 1 \\ \times\quad 7 \\ \hline \end{array}$$

4
$$\begin{array}{r} 4\ 2 \\ \times\quad 4 \\ \hline \end{array}$$

5
$$\begin{array}{r} 5\ 3 \\ \times\quad 3 \\ \hline \end{array}$$

6
$$\begin{array}{r} 6\ 2 \\ \times\quad 2 \\ \hline \end{array}$$

7
$$\begin{array}{r} 7\ 1 \\ \times\quad 5 \\ \hline \end{array}$$

8
$$\begin{array}{r} 8\ 2 \\ \times\quad 3 \\ \hline \end{array}$$

9
$$\begin{array}{r} 9\ 1 \\ \times\quad 8 \\ \hline \end{array}$$

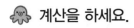 계산을 하세요.

10　　2 1
　　×　　5

11　　2 1
　　×　　7

12　　3 1
　　×　　4

13　　3 1
　　×　　6

14　　3 2
　　×　　4

15　　4 1
　　×　　3

16　　4 2
　　×　　3

17　　5 1
　　×　　8

18　　5 2
　　×　　2

19　　6 1
　　×　　2

20　　6 3
　　×　　3

21　　7 1
　　×　　9

22　　7 2
　　×　　4

23　　8 4
　　×　　2

24　　9 2
　　×　　3

◎ 3단계 곱셈

3. 십의 자리에서 올림이 있는 (몇십몇)×(몇)

🐙 계산을 하세요.

1 21×8

2 31×7

3 32×4

4 41×3

5 43×3

6 52×3

7 64×2

8 72×4

9 83×3

10 93×2

11 52×4

12 91×7

13 81×6

14 82×3

🐙 계산을 하세요.

15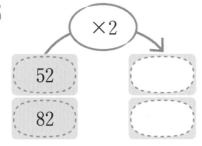

16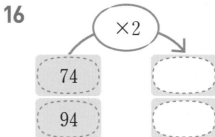

17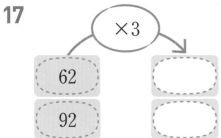

18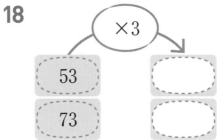

19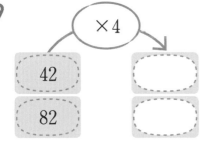

20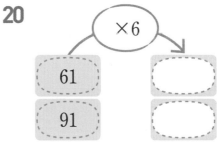

💡 생활 속 연산

윤서네 가족이 딸기 따기 체험을 하여 딸기를 21개씩 6 바구니 땄습니다. 윤서네 가족이 딴 딸기는 모두 몇 개 인지 구하세요.

(   )

● 3단계 곱셈

4. 일의 자리에서 올림이 있는 (몇십몇)×(몇)

예 15×4의 계산

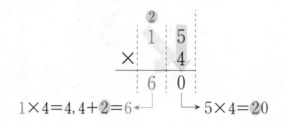

$1×4=4, 4+2=6$ ←   → $5×4=20$

일의 자리 수와의 곱이 10이거나 10보다 크면 십의 자리로 올림해!

🐙 계산을 하세요.

1
$$\begin{array}{r} 1\ 2 \\ \times\ \ \ 5 \\ \hline 6\ 0 \end{array}$$

2
$$\begin{array}{r} 1\ 4 \\ \times\ \ \ 7 \\ \hline \end{array}$$

3
$$\begin{array}{r} 1\ 7 \\ \times\ \ \ 3 \\ \hline \end{array}$$

4
$$\begin{array}{r} 2\ 3 \\ \times\ \ \ 4 \\ \hline \end{array}$$

5
$$\begin{array}{r} 2\ 8 \\ \times\ \ \ 3 \\ \hline \end{array}$$

6
$$\begin{array}{r} 3\ 7 \\ \times\ \ \ 2 \\ \hline \end{array}$$

7
$$\begin{array}{r} 3\ 8 \\ \times\ \ \ 2 \\ \hline \end{array}$$

8
$$\begin{array}{r} 4\ 5 \\ \times\ \ \ 2 \\ \hline \end{array}$$

9
$$\begin{array}{r} 4\ 9 \\ \times\ \ \ 2 \\ \hline \end{array}$$

🐙 계산을 하세요.

10
$$\begin{array}{r} 1\ 3 \\ \times\quad 4 \\ \hline \end{array}$$

11
$$\begin{array}{r} 1\ 5 \\ \times\quad 5 \\ \hline \end{array}$$

12
$$\begin{array}{r} 1\ 6 \\ \times\quad 3 \\ \hline \end{array}$$

13
$$\begin{array}{r} 1\ 8 \\ \times\quad 5 \\ \hline \end{array}$$

14
$$\begin{array}{r} 1\ 9 \\ \times\quad 2 \\ \hline \end{array}$$

15
$$\begin{array}{r} 2\ 4 \\ \times\quad 3 \\ \hline \end{array}$$

16
$$\begin{array}{r} 2\ 5 \\ \times\quad 2 \\ \hline \end{array}$$

17
$$\begin{array}{r} 2\ 7 \\ \times\quad 3 \\ \hline \end{array}$$

18
$$\begin{array}{r} 2\ 5 \\ \times\quad 3 \\ \hline \end{array}$$

19
$$\begin{array}{r} 3\ 5 \\ \times\quad 2 \\ \hline \end{array}$$

20
$$\begin{array}{r} 3\ 6 \\ \times\quad 2 \\ \hline \end{array}$$

21
$$\begin{array}{r} 3\ 9 \\ \times\quad 2 \\ \hline \end{array}$$

22
$$\begin{array}{r} 4\ 6 \\ \times\quad 2 \\ \hline \end{array}$$

23
$$\begin{array}{r} 4\ 7 \\ \times\quad 2 \\ \hline \end{array}$$

24
$$\begin{array}{r} 4\ 8 \\ \times\quad 2 \\ \hline \end{array}$$

3단계 곱셈

4. 일의 자리에서 올림이 있는 (몇십몇)×(몇)

🐙 계산을 하세요.

1 12×7

2 13×6

3 15×3

4 16×4

5 17×2

6 17×5

7 18×4

8 19×3

9 48×2

10 26×3

11 28×2

12 29×3

13 38×2

14 45×2

🐙 계산 결과가 더 큰 풍선의 줄에 ◯표 하세요.

15

16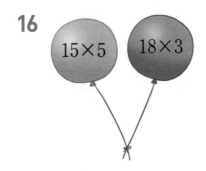

17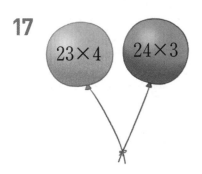

18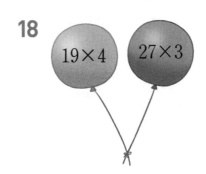

19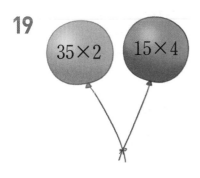

20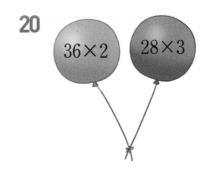

21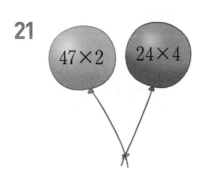

22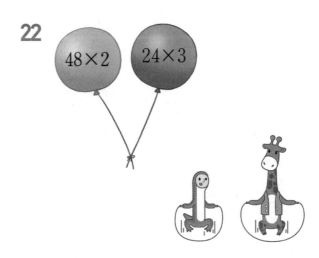

🎯 3단계 곱셈

5. 올림이 두 번 있는 (몇십몇)×(몇)

올림한 수를 잊지 말고 더해!

예 24×6의 계산

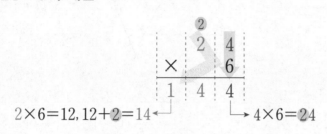

$$\begin{array}{r} \overset{2}{2}\,4 \\ \times\quad 6 \\ \hline 1\,4\,4 \end{array}$$

$2×6=12, 12+2=14$ ←┘   └→ $4×6=24$

🐙 계산을 하세요.

1
$$\begin{array}{r} 1\ 2 \\ \times\quad 9 \\ \hline 1\ 0\ 8 \end{array}$$

2
$$\begin{array}{r} 2\ 3 \\ \times\quad 6 \\ \hline \end{array}$$

3
$$\begin{array}{r} 3\ 4 \\ \times\quad 5 \\ \hline \end{array}$$

4
$$\begin{array}{r} 4\ 5 \\ \times\quad 7 \\ \hline \end{array}$$

5
$$\begin{array}{r} 5\ 9 \\ \times\quad 2 \\ \hline \end{array}$$

6
$$\begin{array}{r} 6\ 7 \\ \times\quad 3 \\ \hline \end{array}$$

7
$$\begin{array}{r} 7\ 6 \\ \times\quad 4 \\ \hline \end{array}$$

8
$$\begin{array}{r} 8\ 5 \\ \times\quad 5 \\ \hline \end{array}$$

9
$$\begin{array}{r} 9\ 8 \\ \times\quad 2 \\ \hline \end{array}$$

🐙 계산을 하세요.

10
$$\begin{array}{r} 1\ 8 \\ \times\quad 8 \\ \hline \end{array}$$

11
$$\begin{array}{r} 2\ 2 \\ \times\quad 9 \\ \hline \end{array}$$

12
$$\begin{array}{r} 2\ 5 \\ \times\quad 4 \\ \hline \end{array}$$

13
$$\begin{array}{r} 3\ 6 \\ \times\quad 6 \\ \hline \end{array}$$

14
$$\begin{array}{r} 3\ 9 \\ \times\quad 7 \\ \hline \end{array}$$

15
$$\begin{array}{r} 4\ 8 \\ \times\quad 5 \\ \hline \end{array}$$

16
$$\begin{array}{r} 5\ 5 \\ \times\quad 9 \\ \hline \end{array}$$

17
$$\begin{array}{r} 5\ 9 \\ \times\quad 3 \\ \hline \end{array}$$

18
$$\begin{array}{r} 6\ 2 \\ \times\quad 6 \\ \hline \end{array}$$

19
$$\begin{array}{r} 6\ 7 \\ \times\quad 2 \\ \hline \end{array}$$

20
$$\begin{array}{r} 7\ 3 \\ \times\quad 7 \\ \hline \end{array}$$

21
$$\begin{array}{r} 7\ 4 \\ \times\quad 8 \\ \hline \end{array}$$

22
$$\begin{array}{r} 8\ 2 \\ \times\quad 5 \\ \hline \end{array}$$

23
$$\begin{array}{r} 8\ 8 \\ \times\quad 4 \\ \hline \end{array}$$

24
$$\begin{array}{r} 9\ 6 \\ \times\quad 3 \\ \hline \end{array}$$

계산을

3단계 곱셈

5. 올림이 두 번 있는 (몇십몇) × (몇)

🐙 계산을 하세요.

1 16 × 9

2 33 × 6

3 35 × 3

4 56 × 5

5 49 × 7

6 63 × 4

7 56 × 2

8 79 × 3

9 72 × 8

10 83 × 8

11 26 × 7

12 92 × 9

13 46 × 6

14 99 × 2

🐙 계산을 하세요.

15 44×3 ( )

16 53×9 ( )

17 25×5 ( )

18 76×3 ( )

19 58×7 ( )

20 78×5 ( )

21 36×4 ( )

22 65×4 ( )

23 85×5 ( )

24 94×5 ( )

💡 **생활 속 연산**

한 상자에 24개씩 들어 있는 바나나 우유가 9상자 있습니다.
바나나 우유는 모두 몇 개인지 구하세요.

( )

DAY 11

마무리 연산

🐙 계산을 하세요.

1
$$\begin{array}{r} 5\ 0 \\ \times\quad 4 \\ \hline \end{array}$$

2
$$\begin{array}{r} 7\ 0 \\ \times\quad 2 \\ \hline \end{array}$$

3
$$\begin{array}{r} 4\ 0 \\ \times\quad 9 \\ \hline \end{array}$$

4
$$\begin{array}{r} 4\ 3 \\ \times\quad 2 \\ \hline \end{array}$$

5
$$\begin{array}{r} 2\ 1 \\ \times\quad 4 \\ \hline \end{array}$$

6
$$\begin{array}{r} 1\ 3 \\ \times\quad 3 \\ \hline \end{array}$$

7
$$\begin{array}{r} 1\ 2 \\ \times\quad 4 \\ \hline \end{array}$$

8
$$\begin{array}{r} 3\ 1 \\ \times\quad 3 \\ \hline \end{array}$$

9
$$\begin{array}{r} 2\ 2 \\ \times\quad 4 \\ \hline \end{array}$$

10
$$\begin{array}{r} 6\ 2 \\ \times\quad 3 \\ \hline \end{array}$$

11
$$\begin{array}{r} 7\ 4 \\ \times\quad 2 \\ \hline \end{array}$$

12
$$\begin{array}{r} 5\ 3 \\ \times\quad 2 \\ \hline \end{array}$$

13
$$\begin{array}{r} 7\ 1 \\ \times\quad 5 \\ \hline \end{array}$$

14
$$\begin{array}{r} 8\ 2 \\ \times\quad 3 \\ \hline \end{array}$$

15
$$\begin{array}{r} 9\ 3 \\ \times\quad 3 \\ \hline \end{array}$$

🐙 계산을 하세요.

16 30×6

17 20×8

18 20×7

19 50×9

20 12×3

21 24×2

22 11×6

23 12×4

24 73×2

25 54×2

26 52×4

27 63×2

28 61×5

29 82×4

DAY 12

🎯 3단계 곱셈

마무리 연산

🐙 계산을 하세요.

1   1 4
  ×   6

2   2 3
  ×   4

3   3 9
  ×   2

4   1 3
  ×   7

5   2 6
  ×   3

6   4 9
  ×   2

7   7 4
  ×   5

8   3 5
  ×   8

9   5 7
  ×   6

10   9 5
   ×   7

11   4 6
   ×   8

12   6 8
   ×   5

13   4 9
   ×   6

14   7 6
   ×   3

15   6 9
   ×   4

🐙 계산을 하세요.

16 37×2

17 29×3

18 46×2

19 36×2

20 45×2

21 38×2

22 13×6

23 35×2

24 94×5

25 72×8

26 54×7

27 66×6

28 89×9

29 26×4

4

길이와 시간

학습 결과와 시간을 써 보세요!

학습 내용	학습 회차	맞힌 개수/걸린 시간
1. cm와 mm 단위의 관계	DAY 01	/
2. cm와 mm가 있는 길이의 합	DAY 02	/
	DAY 03	/
	DAY 04	/
3. cm와 mm가 있는 길이의 차	DAY 05	/
	DAY 06	/
	DAY 07	/
4. km와 m 단위의 관계	DAY 08	/
5. km와 m가 있는 길이의 합	DAY 09	/
	DAY 10	/
	DAY 11	/
6. km와 m가 있는 길이의 차	DAY 12	/
	DAY 13	/
	DAY 14	/
7. 초와 분 사이의 관계	DAY 15	/
8. 시간의 합	DAY 16	/
	DAY 17	/
	DAY 18	/
	DAY 19	/
9. 시간의 차	DAY 20	/
	DAY 21	/
	DAY 22	/
	DAY 23	/
마무리 연산	DAY 24	/
	DAY 25	/

하나 둘!
하나 둘!

ⓞ4단계 길이와 시간

1. cm와 mm 단위의 관계

● 1 mm 알아보기

쓰기 1 mm **읽기** 1 밀리미터

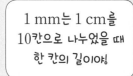
1 mm는 1 cm를 10칸으로 나누었을 때 한 칸의 길이야!

· 1 cm=10 mm
· 2 cm 5 mm=20 mm+5 mm
　　　　　　=25 mm

🐙 ☐ 안에 알맞은 수를 써넣으세요.

1 3 cm=☐ mm

2 50 mm=☐ cm

3 10 cm=☐ mm

4 96 mm=☐ cm ☐ mm

5 5 cm 1 mm=☐ mm

6 200 mm=☐ cm

7 8 cm 7 mm=☐ mm

8 590 mm=☐ cm

9 14 cm 8 mm=☐ mm

10 255 mm=☐ cm ☐ mm

🐙 같은 길이가 되도록 ☐ 안에 알맞은 수를 써넣으세요.

11 2 cm ☐ mm

12 40 mm ☐ cm

13 12 cm ☐ mm

14 190 mm ☐ cm

15 40 cm ☐ mm

16 700 mm ☐ cm

17 11 cm 5 mm ☐ mm

18 107 mm ☐ cm ☐ mm

19 24 cm 3 mm ☐ mm

20 208 mm ☐ cm ☐ mm

21 50 cm 2 mm ☐ mm

22 305 mm ☐ cm ☐ mm

23 49 cm 5 mm ☐ mm

24 247 mm ☐ cm ☐ mm

◎4단계 길이와 시간

2. cm와 mm가 있는 길이의 합

● 받아올림이 없는 길이의 합

예 2 cm 4 mm＋3 cm 5 mm의 계산

```
    2 cm 4 mm
＋ 3 cm 5 mm
    5 cm 9 mm
```

mm는 mm끼리,
cm는 cm끼리 더해야 해!

🐙 ☐ 안에 알맞은 수를 써넣으세요.

1
```
    1 cm 3 mm
＋ 2 cm 3 mm
    3 cm 6 mm
```

2
```
    2 cm 4 mm
＋ 2 cm 1 mm
    ☐ cm ☐ mm
```

3
```
    3 cm 1 mm
＋ 5 cm 3 mm
    ☐ cm ☐ mm
```

4
```
    4 cm 2 mm
＋ 3 cm 4 mm
    ☐ cm ☐ mm
```

5
```
    5 cm 2 mm
＋ 4 cm 6 mm
    ☐ cm ☐ mm
```

6
```
    6 cm 7 mm
＋ 2 cm 2 mm
    ☐ cm ☐ mm
```

🐙 계산을 하세요.

7　　 2 cm　3 mm
　　 + 3 cm　2 mm
　　‾‾‾‾‾‾‾‾‾‾‾‾‾‾‾

8　　 3 cm　4 mm
　　 + 5 cm　3 mm
　　‾‾‾‾‾‾‾‾‾‾‾‾‾‾‾

9　　 5 cm　2 mm
　　 + 2 cm　3 mm
　　‾‾‾‾‾‾‾‾‾‾‾‾‾‾‾

10　　 6 cm　1 mm
　　 + 3 cm　6 mm
　　‾‾‾‾‾‾‾‾‾‾‾‾‾‾‾

11　　 7 cm　5 mm
　　 + 2 cm　4 mm
　　‾‾‾‾‾‾‾‾‾‾‾‾‾‾‾

12　　 8 cm　2 mm
　　 + 10 cm　1 mm
　　‾‾‾‾‾‾‾‾‾‾‾‾‾‾‾

13　　 11 cm　1 mm
　　 + 　8 cm　7 mm
　　‾‾‾‾‾‾‾‾‾‾‾‾‾‾‾

14　　 12 cm　4 mm
　　 + 13 cm　4 mm
　　‾‾‾‾‾‾‾‾‾‾‾‾‾‾‾

15　　 15 cm　2 mm
　　 + 11 cm　2 mm
　　‾‾‾‾‾‾‾‾‾‾‾‾‾‾‾

16　　 16 cm　3 mm
　　 + 12 cm　4 mm
　　‾‾‾‾‾‾‾‾‾‾‾‾‾‾‾

🎯 **4단계** 길이와 시간

2. cm와 mm가 있는 길이의 합

● 받아올림이 있는 길이의 합

예 5 cm 8 mm＋9 cm 6 mm의 계산

$$
\begin{array}{r}
\overset{1}{}\ 5\ \text{cm}\ 8\ \text{mm} \\
+\ \ 9\ \text{cm}\ 6\ \text{mm} \\
\hline
15\ \text{cm}\ 4\ \text{mm}
\end{array}
$$

8 mm＋6 mm＝14 mm＝1 cm＋4 mm

10 mm는 1 cm로 받아올림하여 계산해!

🐙 ☐ 안에 알맞은 수를 써넣으세요.

1

$$
\begin{array}{r}
\boxed{1} \\
3\ \text{cm}\ 5\ \text{mm} \\
+\ 5\ \text{cm}\ 7\ \text{mm} \\
\hline
\boxed{9}\ \text{cm}\ \boxed{2}\ \text{mm}
\end{array}
$$

2

$$
\begin{array}{r}
\boxed{} \\
4\ \text{cm}\ 4\ \text{mm} \\
+\ 2\ \text{cm}\ 9\ \text{mm} \\
\hline
\boxed{}\ \text{cm}\ \boxed{}\ \text{mm}
\end{array}
$$

3

$$
\begin{array}{r}
\boxed{} \\
7\ \text{cm}\ 8\ \text{mm} \\
+\ 3\ \text{cm}\ 3\ \text{mm} \\
\hline
\boxed{}\ \text{cm}\ \boxed{}\ \text{mm}
\end{array}
$$

4

$$
\begin{array}{r}
\boxed{} \\
8\ \text{cm}\ 9\ \text{mm} \\
+\ 7\ \text{cm}\ 3\ \text{mm} \\
\hline
\boxed{}\ \text{cm}\ \boxed{}\ \text{mm}
\end{array}
$$

5

$$
\begin{array}{r}
\boxed{} \\
12\ \text{cm}\ 2\ \text{mm} \\
+\ 6\ \text{cm}\ 9\ \text{mm} \\
\hline
\boxed{}\ \text{cm}\ \boxed{}\ \text{mm}
\end{array}
$$

6

$$
\begin{array}{r}
\boxed{} \\
15\ \text{cm}\ 6\ \text{mm} \\
+\ 11\ \text{cm}\ 7\ \text{mm} \\
\hline
\boxed{}\ \text{cm}\ \boxed{}\ \text{mm}
\end{array}
$$

🐙 계산을 하세요.

7   1 cm   7 mm
    +   6 cm   7 mm

8   2 cm   5 mm
    +   8 cm   6 mm

9   6 cm   3 mm
    +   8 cm   8 mm

10   8 cm   7 mm
    +   4 cm   9 mm

11   11 cm   6 mm
    +   8 cm   7 mm

12   13 cm   8 mm
    +   10 cm   5 mm

13   18 cm   3 mm
    +   12 cm   9 mm

14   19 cm   4 mm
    +   15 cm   8 mm

15   25 cm   8 mm
    +   15 cm   9 mm

16   27 cm   7 mm
    +   19 cm   5 mm

◎ 4단계 길이와 시간

2. cm와 mm가 있는 길이의 합

🐙 계산을 하세요.

1 3 cm 5 mm + 1 cm 8 mm

2 4 cm 8 mm + 5 cm 4 mm

3 5 cm 4 mm + 2 cm 7 mm

4 6 cm 3 mm + 4 cm 9 mm

5 7 cm 2 mm + 10 cm 9 mm

6 8 cm 7 mm + 9 cm 7 mm

7 10 cm 1 mm + 8 cm 9 mm

8 9 cm 6 mm + 7 cm 5 mm

9 12 cm 6 mm + 12 cm 5 mm

10 14 cm 9 mm + 8 cm 2 mm

11 15 cm 6 mm + 11 cm 6 mm

12 18 cm 8 mm + 11 cm 2 mm

13 27 cm 6 mm + 13 cm 9 mm

14 14 cm 5 mm + 19 cm 8 mm

🐙 ☐ 안에 알맞은 수를 써넣으세요.

15 4 cm 3 mm

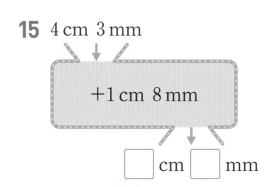

+1 cm 8 mm

☐ cm ☐ mm

16 5 cm 8 mm

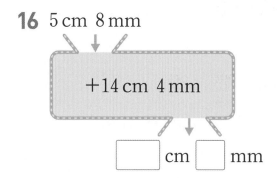

+14 cm 4 mm

☐ cm ☐ mm

17 10 cm 9 mm

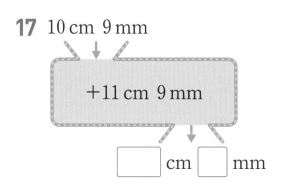

+11 cm 9 mm

☐ cm ☐ mm

18 3 cm 9 mm

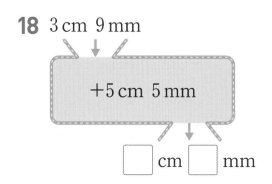

+5 cm 5 mm

☐ cm ☐ mm

19 12 cm 4 mm

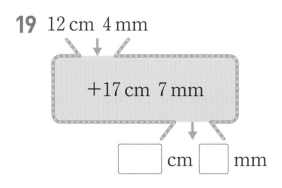

+17 cm 7 mm

☐ cm ☐ mm

20 36 cm 6 mm

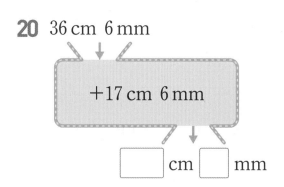

+17 cm 6 mm

☐ cm ☐ mm

💡 생활 속 연산

음식점에서 계산할 때 사용하는 체크카드의 긴 쪽의 길
이는 8 cm 6 mm, 짧은 쪽의 길이는 5 cm 4 mm입니
다. 긴 쪽과 짧은 쪽의 길이의 합을 구하세요.

(   )

🎯 4단계 길이와 시간

3. cm와 mm가 있는 길이의 차

● 받아내림이 없는 길이의 차

예 4 cm 9 mm − 2 cm 3 mm의 계산

$$\begin{array}{r} 4 \text{ cm } 9 \text{ mm} \\ - \ 2 \text{ cm } 3 \text{ mm} \\ \hline 2 \text{ cm } 6 \text{ mm} \end{array}$$

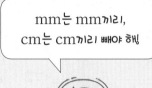

mm는 mm끼리,
cm는 cm끼리 빼야 해!

🐙 ☐ 안에 알맞은 수를 써넣으세요.

1
$$\begin{array}{r} 3 \text{ cm } 8 \text{ mm} \\ - \ 1 \text{ cm } 6 \text{ mm} \\ \hline \boxed{2} \text{ cm } \boxed{2} \text{ mm} \end{array}$$

2
$$\begin{array}{r} 5 \text{ cm } 7 \text{ mm} \\ - \ 3 \text{ cm } 1 \text{ mm} \\ \hline \boxed{} \text{ cm } \boxed{} \text{ mm} \end{array}$$

3
$$\begin{array}{r} 7 \text{ cm } 6 \text{ mm} \\ - \ 2 \text{ cm } 4 \text{ mm} \\ \hline \boxed{} \text{ cm } \boxed{} \text{ mm} \end{array}$$

4
$$\begin{array}{r} 8 \text{ cm } 4 \text{ mm} \\ - \ 5 \text{ cm } 2 \text{ mm} \\ \hline \boxed{} \text{ cm } \boxed{} \text{ mm} \end{array}$$

5
$$\begin{array}{r} 12 \text{ cm } 9 \text{ mm} \\ - \ 2 \text{ cm } 4 \text{ mm} \\ \hline \boxed{} \text{ cm } \boxed{} \text{ mm} \end{array}$$

6
$$\begin{array}{r} 15 \text{ cm } 7 \text{ mm} \\ - \ 3 \text{ cm } 6 \text{ mm} \\ \hline \boxed{} \text{ cm } \boxed{} \text{ mm} \end{array}$$

🐙 계산을 하세요.

7
$$\begin{array}{r} 2\ \text{cm} \quad 3\ \text{mm} \\ -\ 1\ \text{cm} \quad 2\ \text{mm} \\ \hline \end{array}$$

8
$$\begin{array}{r} 3\ \text{cm} \quad 9\ \text{mm} \\ -\ 2\ \text{cm} \quad 2\ \text{mm} \\ \hline \end{array}$$

9
$$\begin{array}{r} 4\ \text{cm} \quad 7\ \text{mm} \\ -\ 1\ \text{cm} \quad 5\ \text{mm} \\ \hline \end{array}$$

10
$$\begin{array}{r} 5\ \text{cm} \quad 4\ \text{mm} \\ -\ 2\ \text{cm} \quad 3\ \text{mm} \\ \hline \end{array}$$

11
$$\begin{array}{r} 7\ \text{cm} \quad 5\ \text{mm} \\ -\ 4\ \text{cm} \quad 4\ \text{mm} \\ \hline \end{array}$$

12
$$\begin{array}{r} 8\ \text{cm} \quad 6\ \text{mm} \\ -\ 5\ \text{cm} \quad 5\ \text{mm} \\ \hline \end{array}$$

13
$$\begin{array}{r} 10\ \text{cm} \quad 9\ \text{mm} \\ -\ 5\ \text{cm} \quad 1\ \text{mm} \\ \hline \end{array}$$

14
$$\begin{array}{r} 11\ \text{cm} \quad 7\ \text{mm} \\ -\ 1\ \text{cm} \quad 3\ \text{mm} \\ \hline \end{array}$$

15
$$\begin{array}{r} 14\ \text{cm} \quad 6\ \text{mm} \\ -\ 4\ \text{cm} \quad 4\ \text{mm} \\ \hline \end{array}$$

16
$$\begin{array}{r} 16\ \text{cm} \quad 3\ \text{mm} \\ -\ 3\ \text{cm} \quad 1\ \text{mm} \\ \hline \end{array}$$

◎ 4단계 길이와 시간

3. cm와 mm가 있는 길이의 차

● 받아내림이 있는 길이의 차

예 6 cm 2 mm − 3 cm 4 mm의 계산

1 cm를 10 mm로 받아내림하여 계산해!

$$
\begin{array}{r}
\overset{5}{\cancel{6}} \text{ cm } \overset{10}{2} \text{ mm} \\
- \ 3 \text{ cm } 4 \text{ mm} \\
\hline
2 \text{ cm } 8 \text{ mm}
\end{array}
$$

10 mm + 2 mm − 4 mm = 8 mm

🐙 ☐ 안에 알맞은 수를 써넣으세요.

1
$$
\begin{array}{r}
\overset{\boxed{2}}{\cancel{3}} \text{ cm } \overset{\boxed{10}}{7} \text{ mm} \\
- \ 1 \text{ cm } 9 \text{ mm} \\
\hline
\boxed{1} \text{ cm } \boxed{8} \text{ mm}
\end{array}
$$

2
$$
\begin{array}{r}
\boxed{} \quad \boxed{} \\
\cancel{4} \text{ cm } 3 \text{ mm} \\
- \ 2 \text{ cm } 6 \text{ mm} \\
\hline
\boxed{} \text{ cm } \boxed{} \text{ mm}
\end{array}
$$

3
$$
\begin{array}{r}
\boxed{} \quad \boxed{} \\
\cancel{6} \text{ cm } 1 \text{ mm} \\
- \ 3 \text{ cm } 4 \text{ mm} \\
\hline
\boxed{} \text{ cm } \boxed{} \text{ mm}
\end{array}
$$

4
$$
\begin{array}{r}
\boxed{} \quad \boxed{} \\
\cancel{7} \text{ cm } 4 \text{ mm} \\
- \ 4 \text{ cm } 7 \text{ mm} \\
\hline
\boxed{} \text{ cm } \boxed{} \text{ mm}
\end{array}
$$

5
$$
\begin{array}{r}
\boxed{} \quad \boxed{} \\
\cancel{9} \text{ cm } 6 \text{ mm} \\
- \ 1 \text{ cm } 8 \text{ mm} \\
\hline
\boxed{} \text{ cm } \boxed{} \text{ mm}
\end{array}
$$

6
$$
\begin{array}{r}
\boxed{} \quad \boxed{} \\
\cancel{12} \text{ cm } 5 \text{ mm} \\
- \ 6 \text{ cm } 6 \text{ mm} \\
\hline
\boxed{} \text{ cm } \boxed{} \text{ mm}
\end{array}
$$

🐙 계산을 하세요.

7　　　3 cm　1 mm
　　　− 1 cm　6 mm
　　　───────────

8　　　4 cm　6 mm
　　　− 1 cm　7 mm
　　　───────────

9　　　6 cm　7 mm
　　　− 2 cm　8 mm
　　　───────────

10　　7 cm　1 mm
　　　− 3 cm　6 mm
　　　───────────

11　　9 cm　5 mm
　　　− 6 cm　7 mm
　　　───────────

12　　10 cm　1 mm
　　　− 5 cm　3 mm
　　　───────────

13　　15 cm　2 mm
　　　− 7 cm　9 mm
　　　───────────

14　　17 cm　4 mm
　　　− 8 cm　5 mm
　　　───────────

15　　21 cm　5 mm
　　　− 12 cm　9 mm
　　　───────────

16　　23 cm　2 mm
　　　− 15 cm　3 mm
　　　───────────

4단계 길이와 시간

3. cm와 mm가 있는 길이의 차

🐙 계산을 하세요.

1   3 cm 3 mm−1 cm 4 mm

2   4 cm 3 mm−2 cm 9 mm

3   5 cm 1 mm−2 cm 2 mm

4   6 cm 2 mm−1 cm 7 mm

5   7 cm 2 mm−5 cm 3 mm

6   8 cm 1 mm−4 cm 6 mm

7   9 cm 2 mm−3 cm 5 mm

8   10 cm 8 mm−6 cm 9 mm

9   11 cm 3 mm−8 cm 5 mm

10   13 cm 2 mm−9 cm 4 mm

11   14 cm 7 mm−10 cm 8 mm

12   16 cm 3 mm−8 cm 8 mm

13   20 cm 1 mm−7 cm 2 mm

14   25 cm 4 mm−9 cm 6 mm

🐙 □ 안에 알맞은 수를 써넣으세요.

15 7 cm 3 mm
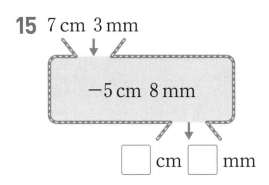
−5 cm 8 mm
□ cm □ mm

16 15 cm 5 mm
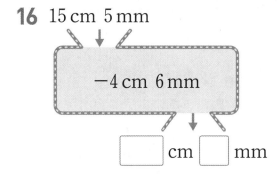
−4 cm 6 mm
□ cm □ mm

17 9 cm 5 mm
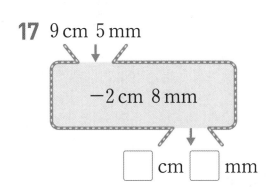
−2 cm 8 mm
□ cm □ mm

18 13 cm 3 mm
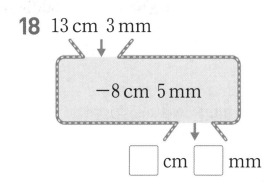
−8 cm 5 mm
□ cm □ mm

19 18 cm 2 mm
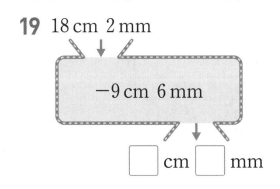
−9 cm 6 mm
□ cm □ mm

20 21 cm 6 mm
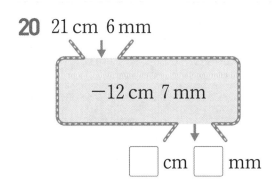
−12 cm 7 mm
□ cm □ mm

21 34 cm 8 mm
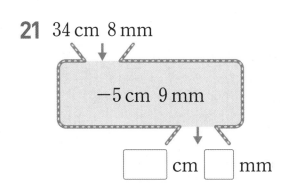
−5 cm 9 mm
□ cm □ mm

22 51 cm 5 mm
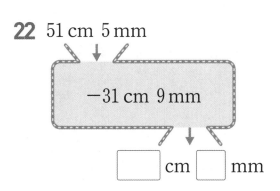
−31 cm 9 mm
□ cm □ mm

4단계 길이와 시간

4. km와 m 단위의 관계

● 1 km 알아보기

| 쓰기 | **1 km** | 읽기 | **1 킬로미터** |

1 km는 1000 m와 같아!

- 1 km = 1000 m
- 5 km 700 m = 5000 m + 700 m
  = 5700 m

🐙 ☐ 안에 알맞은 수를 써넣으세요.

1 2 km = ☐2000☐ m

2 8000 m = ☐ km

3 7 km 10 m = ☐ m

4 10000 m = ☐ km

5 1 km 400 m = ☐ m

6 5100 m = ☐ km ☐ m

7 4 km 900 m = ☐ m

8 6260 m = ☐ km ☐ m

9 3 km 850 m = ☐ m

10 9050 m = ☐ km ☐ m

🐙 같은 길이가 되도록 ☐ 안에 알맞은 수를 써넣으세요.

11 3 km = ☐ m

12 4000 m = ☐ km

13 5 km 200 m = ☐ m

14 5740 m = ☐ km ☐ m

15 6 km 150 m = ☐ m

16 2050 m = ☐ km ☐ m

17 8 km 50 m = ☐ m

18 7080 m = ☐ km ☐ m

19 7 km 7 m = ☐ m

20 8909 m = ☐ km ☐ m

21 10 km 10 m = ☐ m

22 9500 m = ☐ km ☐ m

23 72 km 3 m = ☐ m

24 8004 m = ☐ km ☐ m

◎ **4단계** 길이와 시간

5. km와 m가 있는 길이의 합

● 받아올림이 없는 길이의 합

예 5 km 100 m + 2 km 300 m의 계산

```
     5 km  100 m
+    2 km  300 m
─────────────────
     7 km  400 m
```

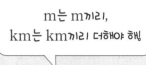

m는 m끼리,
km는 km끼리 더해야 해!

🐙 ☐ 안에 알맞은 수를 써넣으세요.

1
```
    1 km  700  m
+   7 km  200  m
──────────────────
   [8] km [900] m
```

2
```
    3 km  300  m
+   4 km  500  m
──────────────────
   [ ] km [ ] m
```

3
```
    6 km  100  m
+   3 km  600  m
──────────────────
   [ ] km [ ] m
```

4
```
    7 km  200  m
+   2 km  600  m
──────────────────
   [ ] km [ ] m
```

5
```
   10 km  400  m
+   9 km  200  m
──────────────────
   [ ] km [ ] m
```

6
```
   12 km  100  m
+  11 km  300  m
──────────────────
   [ ] km [ ] m
```

🐙 계산을 하세요.

7
$$\begin{array}{r} 1 \text{ km} \quad 100 \text{ m} \\ +\ 3 \text{ km} \quad 400 \text{ m} \\ \hline \end{array}$$

8
$$\begin{array}{r} 2 \text{ km} \quad 200 \text{ m} \\ +\ 5 \text{ km} \quad 200 \text{ m} \\ \hline \end{array}$$

9
$$\begin{array}{r} 4 \text{ km} \quad 500 \text{ m} \\ +\ 3 \text{ km} \quad 200 \text{ m} \\ \hline \end{array}$$

10
$$\begin{array}{r} 5 \text{ km} \quad 400 \text{ m} \\ +\ 4 \text{ km} \quad 500 \text{ m} \\ \hline \end{array}$$

11
$$\begin{array}{r} 7 \text{ km} \quad 200 \text{ m} \\ +\ 10 \text{ km} \quad 300 \text{ m} \\ \hline \end{array}$$

12
$$\begin{array}{r} 8 \text{ km} \quad 100 \text{ m} \\ +\ 11 \text{ km} \quad 500 \text{ m} \\ \hline \end{array}$$

13
$$\begin{array}{r} 13 \text{ km} \quad 600 \text{ m} \\ +\ 13 \text{ km} \quad 200 \text{ m} \\ \hline \end{array}$$

14
$$\begin{array}{r} 15 \text{ km} \quad 500 \text{ m} \\ +\ 14 \text{ km} \quad 300 \text{ m} \\ \hline \end{array}$$

15
$$\begin{array}{r} 17 \text{ km} \quad 400 \text{ m} \\ +\ 11 \text{ km} \quad 300 \text{ m} \\ \hline \end{array}$$

16
$$\begin{array}{r} 18 \text{ km} \quad 200 \text{ m} \\ +\ 20 \text{ km} \quad 700 \text{ m} \\ \hline \end{array}$$

◎ 4단계 길이와 시간

5. km와 m가 있는 길이의 합

● 받아올림이 있는 길이의 합

예 4 km 900 m + 3 km 500 m의 계산

```
        1
    4  km   900  m
+   3  km   500  m
────────────────────
    8  km   400  m
```

900 m + 500 m = 1400 m = 1 km + 400 m

1000 m는 1 km로
받아올림하여 계산해!

🐙 ☐ 안에 알맞은 수를 써넣으세요.

1
```
    1
    3  km   800   m
+   5  km   400   m
─────────────────────
    9  km   200   m
```

2
```
    ☐
    4  km   600   m
+   4  km   500   m
─────────────────────
    ☐ km   ☐ m
```

3
```
    ☐
    6  km   200   m
+   4  km   900   m
─────────────────────
    ☐ km   ☐ m
```

4
```
    ☐
    7  km   500   m
+   9  km   800   m
─────────────────────
    ☐ km   ☐ m
```

5
```
    ☐
    9   km   400   m
+  12   km   700   m
─────────────────────
    ☐ km   ☐ m
```

6
```
    ☐
   13   km   600   m
+  13   km   600   m
─────────────────────
    ☐ km   ☐ m
```

 계산을 하세요.

7
$$1 \text{ km } 900 \text{ m} + 4 \text{ km } 700 \text{ m}$$

8
$$2 \text{ km } 600 \text{ m} + 6 \text{ km } 700 \text{ m}$$

9
$$4 \text{ km } 300 \text{ m} + 7 \text{ km } 900 \text{ m}$$

10
$$5 \text{ km } 800 \text{ m} + 8 \text{ km } 800 \text{ m}$$

11
$$13 \text{ km } 900 \text{ m} + 4 \text{ km } 500 \text{ m}$$

12
$$5 \text{ km } 700 \text{ m} + 20 \text{ km } 900 \text{ m}$$

13
$$7 \text{ km } 800 \text{ m} + 10 \text{ km } 600 \text{ m}$$

14
$$12 \text{ km } 700 \text{ m} + 11 \text{ km } 600 \text{ m}$$

15
$$8 \text{ km } 500 \text{ m} + 12 \text{ km } 900 \text{ m}$$

16
$$14 \text{ km } 800 \text{ m} + 9 \text{ km } 700 \text{ m}$$

5. km와 m가 있는 길이의 합

🐙 계산을 하세요.

1 2 km 900 m+5 km 200 m

2 5 km 600 m+4 km 600 m

3 4 km 800 m+4 km 400 m

4 7 km 500 m+7 km 700 m

5 6 km 800 m+3 km 500 m

6 9 km 400 m+6 km 900 m

7 2 km 300 m+1 km 900 m

8 13 km 800 m+8 km 300 m

9 10 km 600 m+7 km 900 m

10 15 km 700 m+9 km 800 m

11 14 km 500 m+12 km 700 m

12 17 km 900 m+13 km 650 m

13 23 km 600 m+11 km 700 m

14 14 km 450 m+17 km 750 m

🐙 지도를 보고 장소끼리의 거리의 합을 구하세요.

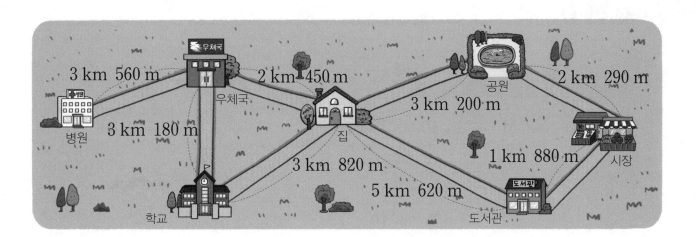

15 병원 → 우체국 → 집
(   )

16 학교 → 집 → 공원
(   )

17 집 → 공원 → 시장
(   )

18 우체국 → 집 → 도서관
(   )

19 집 → 도서관 → 시장
(   )

20 도서관 → 시장 → 공원
(   )

21 공원 → 집 → 우체국
(   )

22 학교 → 집 → 우체국
(   )

◎ 4단계 길이와 시간

6. km와 m가 있는 길이의 차

● 받아내림이 없는 길이의 차

예 5 km 500 m − 1 km 400 m의 계산

```
    5 km  500 m
  − 1 km  400 m
  ───────────────
    4 km  100 m
```

m는 m끼리,
km는 km끼리 빼야 해!

🐙 □ 안에 알맞은 수를 써넣으세요.

1
```
    2 km  300 m
  − 1 km  200 m
  ───────────────
    1 km  100 m
```

2
```
    3 km  600 m
  − 1 km  300 m
  ───────────────
      km      m
```

3
```
    5 km  900 m
  − 2 km  100 m
  ───────────────
      km      m
```

4
```
    6 km  400 m
  − 4 km  200 m
  ───────────────
      km      m
```

5
```
    8 km  500 m
  − 6 km  300 m
  ───────────────
      km      m
```

6
```
    9 km  800 m
  − 5 km  500 m
  ───────────────
      km      m
```

🐙 계산을 하세요.

7
```
     3 km   900 m
  -  2 km   700 m
```

8
```
     4 km   700 m
  -  3 km   300 m
```

9
```
     6 km   300 m
  -  3 km   200 m
```

10
```
     7 km   900 m
  -  5 km   200 m
```

11
```
     9 km   400 m
  -  6 km   300 m
```

12
```
    11 km   900 m
  -  5 km   500 m
```

13
```
    13 km   800 m
  - 10 km   300 m
```

14
```
    14 km   800 m
  - 11 km   200 m
```

15
```
    16 km   650 m
  - 13 km   500 m
```

16
```
    17 km   700 m
  - 15 km   400 m
```

🎯 **4단계** 길이와 시간

6. km와 m가 있는 길이의 차

● 받아내림이 있는 길이의 차

예 7 km 400 m − 4 km 500 m의 계산

1 km를 1000 m로
받아내림하여 계산해!

$$
\begin{array}{r}
\overset{6}{\cancel{7}} \text{ km } \overset{1000}{400} \text{ m} \\
- \ 4 \text{ km } 500 \text{ m} \\
\hline
2 \text{ km } 900 \text{ m}
\end{array}
$$

1000 m + 400 m − 500 m = 900 m

🐙 ☐ 안에 알맞은 수를 써넣으세요.

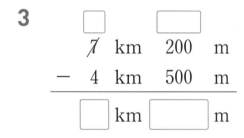

1

$$
\begin{array}{r}
\overset{3}{} \quad \overset{1000}{} \\
\cancel{4} \text{ km } 100 \text{ m} \\
- \ 1 \text{ km } 900 \text{ m} \\
\hline
2 \text{ km } 200 \text{ m}
\end{array}
$$

2

$$
\begin{array}{r}
\Box \quad \Box \\
\cancel{5} \text{ km } 300 \text{ m} \\
- \ 3 \text{ km } 700 \text{ m} \\
\hline
\Box \text{ km } \Box \text{ m}
\end{array}
$$

3

$$
\begin{array}{r}
\Box \quad \Box \\
\cancel{7} \text{ km } 200 \text{ m} \\
- \ 4 \text{ km } 500 \text{ m} \\
\hline
\Box \text{ km } \Box \text{ m}
\end{array}
$$

4

$$
\begin{array}{r}
\Box \quad \Box \\
\cancel{8} \text{ km } 400 \text{ m} \\
- \ 3 \text{ km } 600 \text{ m} \\
\hline
\Box \text{ km } \Box \text{ m}
\end{array}
$$

5

$$
\begin{array}{r}
\Box \quad \Box \\
\cancel{10} \text{ km } 700 \text{ m} \\
- \ 6 \text{ km } 800 \text{ m} \\
\hline
\Box \text{ km } \Box \text{ m}
\end{array}
$$

6

$$
\begin{array}{r}
\Box \quad \Box \\
\cancel{15} \text{ km } 600 \text{ m} \\
- \ 9 \text{ km } 700 \text{ m} \\
\hline
\Box \text{ km } \Box \text{ m}
\end{array}
$$

🐙 계산을 하세요.

7
```
    5 km   200 m
 —  2 km   700 m
```

8
```
    6 km   300 m
 —  3 km   500 m
```

9
```
    8 km   100 m
 —  5 km   200 m
```

10
```
    9 km   500 m
 —  6 km   800 m
```

11
```
   13 km   600 m
 —  9 km   900 m
```

12
```
   13 km   100 m
 —  8 km   700 m
```

13
```
   16 km   450 m
 — 11 km   750 m
```

14
```
   17 km   200 m
 — 15 km   600 m
```

15
```
   25 km   200 m
 — 17 km   800 m
```

16
```
   27 km   600 m
 — 18 km   650 m
```

◎ 4단계 길이와 시간

6. km와 m가 있는 길이의 차

🐙 계산을 하세요.

1 4 km 400 m − 2 km 600 m

2 6 km 200 m − 1 km 900 m

3 5 km 800 m − 3 km 900 m

4 7 km 500 m − 2 km 700 m

5 8 km 200 m − 4 km 400 m

6 9 km 300 m − 5 km 400 m

7 10 km 300 m − 7 km 800 m

8 12 km 100 m − 6 km 600 m

9 21 km 700 m − 10 km 900 m

10 13 km 400 m − 8 km 800 m

11 35 km 300 m − 11 km 400 m

12 17 km 600 m − 7 km 900 m

13 18 km 750 m − 9 km 800 m

14 25 km 100 m − 16 km 250 m

🐙 ☐ 안에 알맞은 수를 써넣으세요.

15 8 km 350 m
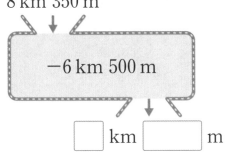
−6 km 500 m

☐ km ☐ m

16 8 km 600 m
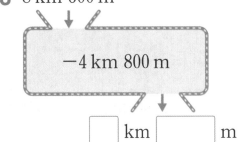
−4 km 800 m

☐ km ☐ m

17 9 km 700 m
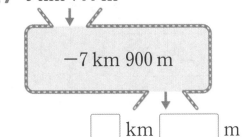
−7 km 900 m

☐ km ☐ m

18 15 km 250 m
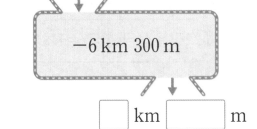
−6 km 300 m

☐ km ☐ m

19 20 km 500 m
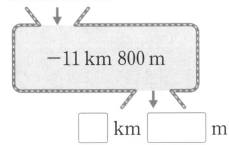
−11 km 800 m

☐ km ☐ m

20 38 km 350 m
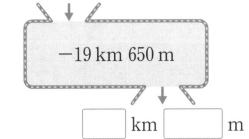
−19 km 650 m

☐ km ☐ m

💡 **생활 속 연산**

수민이는 아빠와 등산을 하였습니다. 산 정상까지 올라갈 때의 거리는 4 km 650 m이고, 내려올 때의 거리는 6 km 550 m였습니다. 내려올 때의 거리는 올라갈 때의 거리보다 몇 km 몇 m 더 먼지 구하세요.

(   )

7. 초와 분 사이의 관계

● 1초 알아보기

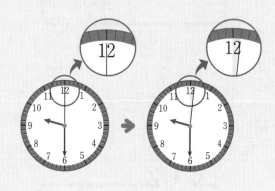

작은 눈금 한 칸=1초

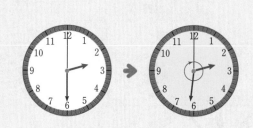

1분=60초

🐙 ☐ 안에 알맞은 수를 써넣으세요.

1 1분 10초=60초+10초= 70 초

2 65초=60초+5초= 1 분 5 초

3 1분 24초= ☐ 초

4 90초= ☐ 분 ☐ 초

5 2분= ☐ 초

6 108초= ☐ 분 ☐ 초

7 2분 35초= ☐ 초

8 140초= ☐ 분 ☐ 초

9 3분 5초= ☐ 초

10 163초= ☐ 분 ☐ 초

🐙 같은 시각이 되도록 ☐ 안에 알맞은 수를 써넣으세요.

11

1분 2초 = ☐ 초

12

99초 = ☐ 분 ☐ 초

13

2분 16초 = ☐ 초

14

165초 = ☐ 분 ☐ 초

15

3분 23초 = ☐ 초

16

200초 = ☐ 분 ☐ 초

17

4분 25초 = ☐ 초

18

242초 = ☐ 분 ☐ 초

19

5분 = ☐ 초

20

330초 = ☐ 분 ☐ 초

21

6분 1초 = ☐ 초

22

400초 = ☐ 분 ☐ 초

23

4분 50초 = ☐ 초

24

333초 = ☐ 분 ☐ 초

◎ 4단계 길이와 시간

8. 시간의 합

예 2분 40초＋3분 30초의 계산

분은 분끼리, 초는 초끼리 같은 단위끼리 더해야 해!

70초＝1분 10초

①
   2분 40초
＋ 3분 30초
─────────────
   6분 10초

70초＝1분 10초

초 단위의 합이 60이거나 60을 넘으면 60초를 1분으로 받아올림해!

🐙 □ 안에 알맞은 수를 써넣으세요.

1
   4 분   30 초
＋ 1 분   20 초
─────────────
   5 분   50 초

2
   6 분   12 초
＋ 2 분   37 초
─────────────
   □ 분   □ 초

3
   □
   3 분   25 초
＋ 4 분   55 초
─────────────
   □ 분   □ 초

4
   □
   2 분   55 초
＋ 3 분   10 초
─────────────
   □ 분   □ 초

5
   □
   5 분   40 초
＋ 6 분   39 초
─────────────
   □ 분   □ 초

6
   □
   8 분   37 초
＋ 11 분   48 초
─────────────
   □ 분   □ 초

🐙 계산을 하세요.

7
```
     1 분  19 초
 +   8 분  20 초
```

8
```
     3 분  35 초
 +   5 분  10 초
```

9
```
     9 분  21 초
 +  10 분  36 초
```

10
```
    14 분  22 초
 +  11 분  24 초
```

11
```
     5 분  45 초
 +   4 분  25 초
```

12
```
     7 분  34 초
 +   7 분  51 초
```

13
```
    13 분  17 초
 +  12 분  44 초
```

14
```
    15 분  36 초
 +   5 분  36 초
```

15
```
    20 분  49 초
 +  14 분  39 초
```

16
```
    17 분  18 초
 +  14 분  53 초
```

④4단계 길이와 시간

8. 시간의 합

예 1시 40분 15초＋2시간 50분 5초의 계산

90분＝1시간 30분

①
        1시   40분 15초
    ＋ 2시간 50분 5초
    ─────────────────
        4시   30분 20초

90분＝1시간 30분

시각에 시간을 더하면 시각이 되고,
시간에 시간을 더하면 시간이 돼!

□ 안에 알맞은 수를 써넣으세요.

1
          1
          3 시   50 분
    ＋   1 시간   30 분
    ──────────────────
          5 시   20 분

2
          □
          4 시간 24 분
    ＋   2 시간 39 분
    ──────────────────
          □ 시간   □ 분

3
          □
          2 시   45 분 26 초
    ＋   3 시간 48 분 14 초
    ──────────────────────
          □ 시   □ 분   □ 초

4
          □
          8 시간 25 분 15 초
    ＋   1 시간 55 분 25 초
    ──────────────────────
          □ 시간   □ 분   □ 초

5
          □
          2 시   30 분 10 초
    ＋   3 시간 40 분 20 초
    ──────────────────────
          □ 시   □ 분   □ 초

6
          □
          5 시간 25 분 27 초
    ＋   4 시간 49 분 17 초
    ──────────────────────
          □ 시간   □ 분   □ 초

🐙 계산을 하세요.

7

```
      3 시    54 분
  +   1 시간  49 분
  ─────────────────
```

시각에 시간을 더하면
시각이 돼.

8

```
      1 시간  52 분
  +   3 시간  35 분
  ─────────────────
```

시간에 시간을 더하면
시간이 돼.

9

```
      6 시    10 분  28 초
  +   2 시간  52 분   8 초
  ─────────────────────────
```

10

```
      3 시간  44 분  15 초
  +   2 시간  25 분  29 초
  ─────────────────────────
```

11

```
      6 시     3 분  36 초
  +   3 시간  58 분  19 초
  ─────────────────────────
```

12

```
      3 시간  31 분  10 초
  +   4 시간  39 분   3 초
  ─────────────────────────
```

13

```
      2 시    25 분   8 초
  +   8 시간  37 분  18 초
  ─────────────────────────
```

14

```
      9 시간  44 분  17 초
  +   3 시간  28 분  20 초
  ─────────────────────────
```

15

```
      2 시    47 분  19 초
  +   2 시간  20 분  14 초
  ─────────────────────────
```

16

```
      7 시간  36 분  51 초
  +   5 시간  46 분   8 초
  ─────────────────────────
```

🎯 4단계 길이와 시간

8. 시간의 합

예 3시 23분 15초＋2시간 45분 50초의 계산

69분＝1시간 9분   65초＝1분 5초

```
     1      1
   3시   23분  15초
＋ 2시간  45분  50초
─────────────────────
   6시    9분   5초
```

69분＝1시간 9분   65초＝1분 5초

🐙 ☐ 안에 알맞은 수를 써넣으세요.

1
```
     1          1
   2 시    30 분  28 초
＋ 1 시간   50 분  33 초
─────────────────────────
   4 시    21 분   1 초
```

2
```
   ☐         ☐
   3 시간   4 분   20 초
＋ 1 시간  59 분   55 초
─────────────────────────
   ☐ 시간   ☐ 분   ☐ 초
```

3
```
   ☐         ☐
   8 시    30 분  15 초
＋ 3 시간   45 분  48 초
─────────────────────────
   ☐ 시    ☐ 분  ☐ 초
```

4
```
   ☐         ☐
   4 시간  27 분  50 초
＋ 3 시간  38 분  28 초
─────────────────────────
   ☐ 시간  ☐ 분  ☐ 초
```

5
```
   ☐        ☐
   5 시   35 분  56 초
＋       49 분  40 초
─────────────────────────
   ☐ 시  ☐ 분  ☐ 초
```

6
```
   ☐        ☐
   1 시간  32 분  48 초
＋        37 분  29 초
─────────────────────────
   ☐ 시간  ☐ 분  ☐ 초
```

🐙 계산을 하세요.

7
```
      6 시    32 분   27 초
  +   2 시간  48 분   46 초
```

8
```
      1 시간  34 분   20 초
  +   3 시간  50 분   56 초
```

9
```
      5 시    13 분   58 초
  +   2 시간  56 분    9 초
```

10
```
      2 시간  33 분   32 초
  +   4 시간  28 분   44 초
```

11
```
      3 시    31 분   16 초
  +   3 시간  45 분   45 초
```

12
```
              48 분   55 초
  +   1 시간  32 분   23 초
```

13
```
      2 시    47 분   51 초
  +            25 분   13 초
```

14
```
      3 시간  51 분   35 초
  +   5 시간   9 분   38 초
```

15
```
      1 시     8 분   29 초
  +   4 시간  54 분   34 초
```

16
```
      6 시간  26 분    8 초
  +            39 분   55 초
```

⊚ 4단계 길이와 시간

8. 시간의 합

🐙 계산을 하세요.

(시각)＋(시간)＝(시각)
(시간)＋(시간)＝(시간)

1 1시 58분 32초＋1시간 4분 39초

2 3시 45분 49초＋1시간 17분 20초

3 3시간 36분 30초＋7시간 48분 47초

4 2시 23분 35초＋1시간 48분 54초

5 4시간 41분 15초＋2시간 28분 49초

6 4시 35분 11초＋2시간 28분 49초

7 5시간 18분 47초＋1시간 42분 17초

8 1시 46분 53초＋3시간 25분 39초

9 6시간 54분 25초＋2시간 57분 53초

10 5시 57분 29초＋2시간 2분 45초

11 7시간 29분 58초＋2시간 38분 2초

12 8시 46분 26초＋1시간 45분 56초

13 9시간 25분 33초＋2시간 34분 57초

🐙 빈 곳에 알맞은 시간의 합을 써넣으세요.

14
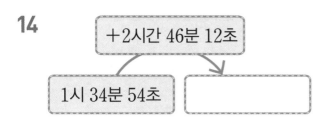

+2시간 46분 12초

1시 34분 54초 →

15
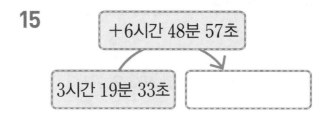

+6시간 48분 57초

3시간 19분 33초 →

16
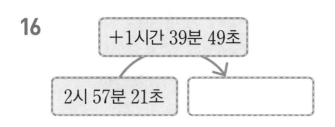

+1시간 39분 49초

2시 57분 21초 →

17
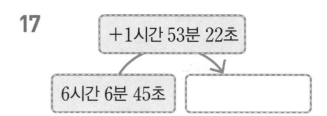

+1시간 53분 22초

6시간 6분 45초 →

18
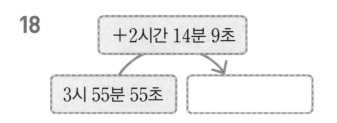

+2시간 14분 9초

3시 55분 55초 →

19
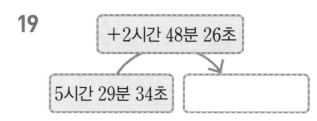

+2시간 48분 26초

5시간 29분 34초 →

20
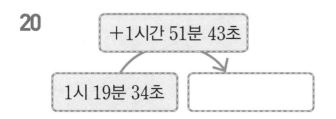

+1시간 51분 43초

1시 19분 34초 →

21
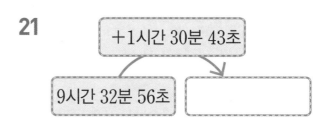

+1시간 30분 43초

9시간 32분 56초 →

💡 **생활 속 연산**

아영이네 가족은 서울에서 고속버스를 타고 여수로 여행을 가려고 합니다. 오전 7시 50분에 승차하여 여수까지 가는 데 4시간 15분이 걸린다면 도착하는 시각은 오후 몇 시 몇 분인지 구하세요.

오후 (　　　　　　　　　　)

4단계 길이와 시간

9. 시간의 차

예 7분 10초−2분 40초의 계산

7분＝6분＋60초

분은 분끼리, 초는 초끼리 같은 단위끼리 빼야 해!

$$
\begin{array}{r}
\overset{6}{\cancel{7}}분\ \overset{60}{10}초 \\
-\ 2분\ 40초 \\
\hline
4분\ 30초
\end{array}
$$

초 단위끼리 뺄 수 없으면 1분을 60초로 받아내림해!

7분−1분−2분＝4분   60초＋10초−40초＝30초

🐙 ☐ 안에 알맞은 수를 써넣으세요.

1
$$
\begin{array}{r}
4\ 분\ 20\ 초 \\
-\ 2\ 분\ 15\ 초 \\
\hline
\boxed{2}\ 분\ \boxed{5}\ 초
\end{array}
$$

2
$$
\begin{array}{r}
8\ 분\ 39\ 초 \\
-\ 7\ 분\ 11\ 초 \\
\hline
\boxed{}\ 분\ \boxed{}\ 초
\end{array}
$$

3
$$
\begin{array}{r}
\boxed{}\quad\boxed{} \\
\cancel{19}\ 분\ 10\ 초 \\
-\ 14\ 분\ 24\ 초 \\
\hline
\boxed{}\ 분\ \boxed{}\ 초
\end{array}
$$

4
$$
\begin{array}{r}
\boxed{}\quad\boxed{} \\
\cancel{9}\ 분\ 10\ 초 \\
-\ 5\ 분\ 38\ 초 \\
\hline
\boxed{}\ 분\ \boxed{}\ 초
\end{array}
$$

5
$$
\begin{array}{r}
\boxed{}\quad\boxed{} \\
\cancel{17}\ 분\ 5\ 초 \\
-\ 8\ 분\ 16\ 초 \\
\hline
\boxed{}\ 분\ \boxed{}\ 초
\end{array}
$$

6
$$
\begin{array}{r}
\boxed{}\quad\boxed{} \\
\cancel{30}\ 분\ 37\ 초 \\
-\ 9\ 분\ 54\ 초 \\
\hline
\boxed{}\ 분\ \boxed{}\ 초
\end{array}
$$

🐙 계산을 하세요.

7
```
      7 분  40 초
  −   3 분  20 초
─────────────────
```

8
```
      9 분  50 초
  −   6 분  15 초
─────────────────
```

9
```
     15 분  37 초
  −   8 분  27 초
─────────────────
```

10
```
     17 분  28 초
  −   9 분  12 초
─────────────────
```

11
```
      4 분  24 초
  −   2 분  30 초
─────────────────
```

12
```
      8 분   3 초
  −   4 분  50 초
─────────────────
```

13
```
     10 분  15 초
  −   1 분  28 초
─────────────────
```

14
```
     24 분  16 초
  −  12 분  43 초
─────────────────
```

15
```
     48 분  20 초
  −  17 분  39 초
─────────────────
```

16
```
     50 분  47 초
  −  26 분  54 초
─────────────────
```

🎯 4단계 길이와 시간

9. 시간의 차

예 3시 10분 20초－1시간 40분 5초의 계산

$$
\begin{array}{r}
\overset{2}{\cancel{3}}\text{시} \quad \overset{60}{10}\text{분} \;\; 20\text{초} \\
-\; 1\text{시간} \;\; 40\text{분} \;\;\; 5\text{초} \\
\hline
1\text{시} \quad 30\text{분} \;\; 15\text{초}
\end{array}
$$

3시－1시간－1시간=1시   60분+10분－40분=30분

시각에서 시각을 빼면 시간을 알 수 있고
시각에서 시간을 빼면 시각을 알 수 있어.
(시각)－(시각)=(시간)
(시각)－(시간)=(시각)

🐙 ☐ 안에 알맞은 수를 써넣으세요.

1

$$
\begin{array}{r}
\boxed{2} \quad\quad \boxed{60} \\
\overset{}{\cancel{3}}\text{시} \quad\quad 8\text{분} \\
-\; 1\text{시} \quad 50\text{분} \\
\hline
\boxed{1}\text{시간} \;\; \boxed{18}\text{분}
\end{array}
$$

2

$$
\begin{array}{r}
\boxed{} \quad\quad \boxed{} \\
\overset{}{\cancel{3}}\text{시} \quad\quad 15\text{분} \\
-\; 2\text{시간} \;\; 35\text{분} \\
\hline
\boxed{}\text{시} \quad \boxed{}\text{분}
\end{array}
$$

3

$$
\begin{array}{r}
\boxed{} \quad\quad \boxed{} \\
\overset{}{\cancel{4}}\text{시} \quad\quad 8\text{분} \;\; 58\text{초} \\
-\; 2\text{시} \quad 31\text{분} \;\; 32\text{초} \\
\hline
\boxed{}\text{시간} \boxed{}\text{분} \boxed{}\text{초}
\end{array}
$$

4

$$
\begin{array}{r}
\boxed{} \quad\quad \boxed{} \\
\overset{}{\cancel{6}}\text{시} \quad\quad 15\text{분} \;\; 58\text{초} \\
-\; 3\text{시간} \;\; 46\text{분} \;\; 35\text{초} \\
\hline
\boxed{}\text{시} \boxed{}\text{분} \boxed{}\text{초}
\end{array}
$$

5

$$
\begin{array}{r}
\boxed{} \quad\quad \boxed{} \\
\overset{}{\cancel{7}}\text{시간} \;\; 20\text{분} \;\; 47\text{초} \\
-\; 2\text{시간} \;\; 59\text{분} \;\; 21\text{초} \\
\hline
\boxed{}\text{시간} \boxed{}\text{분} \boxed{}\text{초}
\end{array}
$$

6

$$
\begin{array}{r}
\boxed{} \quad\quad \boxed{} \\
\overset{}{\cancel{9}}\text{시간} \;\; 45\text{분} \;\; 49\text{초} \\
-\; 5\text{시간} \;\; 55\text{분} \;\; 32\text{초} \\
\hline
\boxed{}\text{시간} \boxed{}\text{분} \boxed{}\text{초}
\end{array}
$$

🐙 계산을 하세요.

7

$$
\begin{array}{r}
3 \text{ 시} \quad 40 \text{ 분} \\
- \;\; 1 \text{ 시} \quad 50 \text{ 분} \\
\hline
\end{array}
$$

8

$$
\begin{array}{r}
2 \text{ 시} \quad 5 \text{ 분} \\
- \qquad\quad 25 \text{ 분} \\
\hline
\end{array}
$$

9

$$
\begin{array}{r}
5 \text{ 시} \quad 24 \text{ 분} \\
- \;\; 2 \text{ 시} \quad 36 \text{ 분} \\
\hline
\end{array}
$$

10

$$
\begin{array}{r}
4 \text{ 시} \quad 38 \text{ 분} \\
- \;\; 1 \text{ 시간} \quad 40 \text{ 분} \\
\hline
\end{array}
$$

11

$$
\begin{array}{r}
5 \text{ 시} \quad 27 \text{ 분} \quad 43 \text{ 초} \\
- \;\; 2 \text{ 시} \quad 55 \text{ 분} \quad 35 \text{ 초} \\
\hline
\end{array}
$$

12

$$
\begin{array}{r}
4 \text{ 시} \quad 19 \text{ 분} \quad 46 \text{ 초} \\
- \;\; 1 \text{ 시간} \quad 34 \text{ 분} \quad 28 \text{ 초} \\
\hline
\end{array}
$$

13

$$
\begin{array}{r}
6 \text{ 시간} \quad 35 \text{ 분} \quad 52 \text{ 초} \\
- \;\; 1 \text{ 시간} \quad 49 \text{ 분} \quad 28 \text{ 초} \\
\hline
\end{array}
$$

14

$$
\begin{array}{r}
8 \text{ 시} \quad 16 \text{ 분} \quad 32 \text{ 초} \\
- \;\; 3 \text{ 시간} \quad 34 \text{ 분} \quad 17 \text{ 초} \\
\hline
\end{array}
$$

15

$$
\begin{array}{r}
9 \text{ 시간} \quad 20 \text{ 분} \quad 41 \text{ 초} \\
- \;\; 5 \text{ 시간} \quad 33 \text{ 분} \quad 30 \text{ 초} \\
\hline
\end{array}
$$

16

$$
\begin{array}{r}
12 \text{ 시} \quad 17 \text{ 분} \quad 36 \text{ 초} \\
- \;\; 3 \text{ 시간} \quad 19 \text{ 분} \quad 15 \text{ 초} \\
\hline
\end{array}
$$

4단계 길이와 시간

9. 시간의 차

예 4시 21분 30초−2시 50분 55초의 계산

$$
\begin{array}{r}
\overset{3}{\cancel{4}}\text{시} \quad \overset{\overset{60}{20}}{2\!\!\!/1}\text{분} \quad \overset{60}{30}\text{초} \\
- \quad 2\text{시} \quad 50\text{분} \quad 55\text{초} \\
\hline
1\text{시간} \quad 30\text{분} \quad 35\text{초}
\end{array}
$$

60분＋20분−50분＝30분   60초＋30초−55초＝35초

🐙 ☐ 안에 알맞은 수를 써넣으세요.

1

$$
\begin{array}{r}
\overset{2}{\cancel{3}}\text{시} \quad \overset{\overset{60}{9}}{1\!\!\!/0}\text{분} \quad \overset{60}{20}\text{초} \\
- \quad 1\text{시} \quad 30\text{분} \quad 30\text{초} \\
\hline
\boxed{1}\text{시간} \quad \boxed{39}\text{분} \quad \boxed{50}\text{초}
\end{array}
$$

2

$$
\begin{array}{r}
\overset{\boxed{}}{\overset{\boxed{}}{\cancel{5}}}\text{시} \quad \overset{\boxed{}}{2\!\!\!/5}\text{분} \quad 40\text{초} \\
- \quad 1\text{시간} \quad 49\text{분} \quad 53\text{초} \\
\hline
\boxed{}\text{시} \quad \boxed{}\text{분} \quad \boxed{}\text{초}
\end{array}
$$

3

$$
\begin{array}{r}
\overset{\boxed{}}{\cancel{6}}\text{시} \quad \overset{\boxed{}}{2\!\!\!/8}\text{분} \quad 14\text{초} \\
- \quad 3\text{시} \quad 40\text{분} \quad 25\text{초} \\
\hline
\boxed{}\text{시간} \quad \boxed{}\text{분} \quad \boxed{}\text{초}
\end{array}
$$

4

$$
\begin{array}{r}
\overset{\boxed{}}{\cancel{7}}\text{시} \quad \overset{\boxed{}}{4\!\!\!/4}\text{분} \quad 29\text{초} \\
- \quad 2\text{시간} \quad 51\text{분} \quad 37\text{초} \\
\hline
\boxed{}\text{시} \quad \boxed{}\text{분} \quad \boxed{}\text{초}
\end{array}
$$

5

$$
\begin{array}{r}
\overset{\boxed{}}{\cancel{9}}\text{시간} \quad \overset{\boxed{}}{\cancel{8}}\text{분} \quad 33\text{초} \\
- \quad 4\text{시간} \quad 40\text{분} \quad 50\text{초} \\
\hline
\boxed{}\text{시간} \quad \boxed{}\text{분} \quad \boxed{}\text{초}
\end{array}
$$

6

$$
\begin{array}{r}
\overset{\boxed{}}{1\!\!\!/0}\text{시} \quad \overset{\boxed{}}{1\!\!\!/1}\text{분} \quad 15\text{초} \\
- \quad 4\text{시간} \quad 35\text{분} \quad 55\text{초} \\
\hline
\boxed{}\text{시} \quad \boxed{}\text{분} \quad \boxed{}\text{초}
\end{array}
$$

🐙 계산을 하세요.

7
```
    3 시   17 분   20 초
  - 1 시   36 분   36 초
  ─────────────────────
```

8
```
    4 시    3 분   11 초
  - 1 시간  30 분   20 초
  ─────────────────────
```

9
```
    4 시   30 분    7 초
  - 2 시   45 분   56 초
  ─────────────────────
```

10
```
    6 시   25 분   50 초
  - 3 시간  40 분   55 초
  ─────────────────────
```

11
```
    5 시   24 분   33 초
  - 2 시   47 분   40 초
  ─────────────────────
```

12
```
    9 시   39 분   27 초
  - 5 시간  49 분   30 초
  ─────────────────────
```

13
```
    8 시간  41 분    1 초
  - 5 시간  50 분   25 초
  ─────────────────────
```

14
```
    6 시   31 분
  - 2 시간  31 분   49 초
  ─────────────────────
```

15
```
   11 시간  40 분   19 초
  - 3 시간  45 분   39 초
  ─────────────────────
```

16
```
    9 시   12 분   23 초
  - 7 시간  13 분   42 초
  ─────────────────────
```

9. 시간의 차

🐙 계산을 하세요.

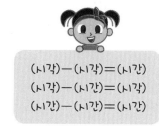

(시각)−(시각)=(시간)
(시각)−(시간)=(시각)
(시간)−(시간)=(시간)

1 3시 3분 50초−1시 12분 56초

2 4시 19분 32초−1시 54분 45초

3 4시 21분 29초−1시간 35분 43초

4 5시 16분 1초−2시 48분 5초

5 5시 32분 20초−3시간 58분 38초

6 3시간 29분 19초−1시간 54분 33초

7 6시 8분 18초−1시간 21분 20초

8 6시간 3분 15초−3시간 25분 35초

9 8시 4분 27초−2시간 15분 58초

10 7시간 46분 9초−2시간 48분 54초

11 9시 16분 12초−7시간 51분 42초

12 7시간 25분 10초−5시간 30분 20초

13 10시 24분 5초−8시간 29분 38초

🐙 달리기를 한 시간을 알아보려고 합니다. 달리기를 시작한 시각과 달리기를 끝낸 시각의 차를 이용하여 달리기를 한 시간을 구하세요.

14
4시 49분 40초에 시작해서 6시 18분 30초에 끝냈어.

(　　　　　　　　　　)

15
3시 51분 55초에 시작해서 5시 7분 15초에 끝냈어.

(　　　　　　　　　　)

16
1시 35분 54초에 시작해서 3시 22분 41초에 끝냈어.

(　　　　　　　　　　)

17
6시 24분 27초에 시작해서 7시 8분 18초에 끝냈어.

(　　　　　　　　　　)

18
7시 45분 50초에 시작해서 8시 35분 25초에 끝냈어.

(　　　　　　　　　　)

19
6시 21분 55초에 시작해서 9시 11분 5초에 끝냈어.

(　　　　　　　　　　)

💡 **생활 속 연산**

수현이는 강아지와 산책하러 오후 2시 35분 55초에 나가서 오후 3시 31분 40초에 돌아왔습니다. 수현이가 강아지와 산책한 시간은 몇 분 몇 초인지 구하세요.

(　　　　　　　　)

4단계 길이와 시간

마무리 연산

 □ 안에 알맞은 수를 써넣으세요.

1
```
    4  cm   5  mm
+  15  cm   2  mm
────────────────────
   [  ] cm [  ] mm
```

2
```
   19  cm   7  mm
−   8  cm   3  mm
────────────────────
   [  ] cm [  ] mm
```

3
```
   16  cm   8  mm
+   7  cm   6  mm
────────────────────
   [  ] cm [  ] mm
```

4
```
   25 cm   6  mm
−  15 cm   9  mm
────────────────────
   [  ] cm [  ] mm
```

5
```
   13  km   600  m
+   2  km   300  m
────────────────────
   [  ] km [    ] m
```

6
```
   20  km   400  m
−  14  km   150  m
────────────────────
   [  ] km [    ] m
```

7
```
   19  km   550  m
+   3  km   700  m
────────────────────
   [  ] km [    ] m
```

8
```
   27  km   200  m
−  18  km   400  m
────────────────────
   [  ] km [    ] m
```

9
```
   22  km   730  m
+   7  km   720  m
────────────────────
   [  ] km [    ] m
```

10
```
   39  km
−  27  km   900  m
────────────────────
   [  ] km [    ] m
```

🐙 계산을 하세요.

11 9 cm 4 mm＋7 cm 3 mm

12 26 cm 6 mm－7 cm 3 mm

13 15 cm 7 mm＋9 cm 6 mm

14 30 cm 4 mm－15 cm 7 mm

15 21 cm 2 mm＋8 cm 9 mm

16 44 cm 3 mm－28 cm 9 mm

17 8 km 200 m＋5 km 600 m

18 24 km 950 m－4 km 250 m

19 10 km 500 m＋4 km 150 m

20 29 km 800 m－9 km 600 m

21 14 km 300 m＋8 km 700 m

22 33 km 300 m－17 km 450 m

23 25 km 850 m＋3 km 450 m

24 29 km 450 m－21 km 800 m

🎯 4단계 길이와 시간

마무리 연산

 ☐ 안에 알맞은 수를 써넣으세요.

1

```
      13 분   8 초
  +    7 분  29 초
   ┌──┐분 ┌──┐초
```

2

```
      33 분  30 초
  −   17 분   5 초
   ┌──┐분 ┌──┐초
```

3

```
      26 분  49 초
  +   14 분  35 초
   ┌──┐분 ┌──┐초
```

4

```
      45 분  13 초
  −   29 분  58 초
   ┌──┐분 ┌──┐초
```

5

```
      5 시   10 분  47 초
  +   5 시간 15 분  23 초
   ┌──┐시 ┌──┐분 ┌──┐초
```

6

```
     10 시   35 분   8 초
  −   2 시    7 분  13 초
   ┌──┐시간 ┌──┐분 ┌──┐초
```

7

```
      6 시   27 분  14 초
  +   3 시간 52 분  26 초
   ┌──┐시 ┌──┐분 ┌──┐초
```

8

```
      9 시   10 분  59 초
  −   3 시간 11 분  21 초
   ┌──┐시 ┌──┐분 ┌──┐초
```

9

```
      8 시간 26 분  45 초
  +  19 시간 53 분  35 초
   ┌──┐시간 ┌──┐분 ┌──┐초
```

10

```
     12 시간 23 분  34 초
  −   9 시간 30 분  59 초
   ┌──┐시간 ┌──┐분 ┌──┐초
```

🐙 계산을 하세요.

11 7분 40초＋9분 4초

12 28분 15초－18분 14초

13 21분 26초＋13분 36초

14 36분 27초－20분 49초

15 1시 34분 6초＋2시간 19분 59초

16 7시 51분 20초－3시 35분 33초

17 4시 8분 41초＋2시간 27분 39초

18 7시 52분 27초－5시 25분 54초

19 3시 48분＋1시간 15분 20초

20 8시 3분 40초－4시간 14분 19초

21 5시간 36분 17초＋5시간 34분 43초

22 10시 35분 5초－3시간 35분 17초

23 6시간 49분 38초＋4시간 30분 27초

24 12시간 11분 27초－10시간 48분 57초

5

분수와 소수

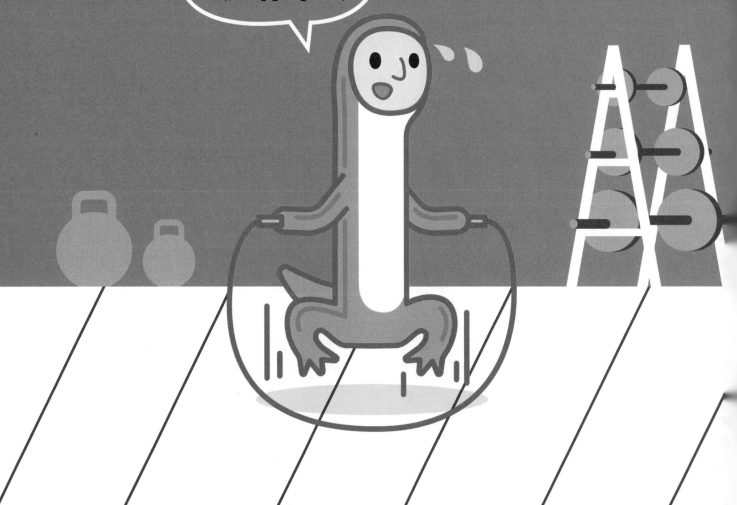

문제를 잘 읽고 요구하는 답이
무엇인지 꼼꼼히 살펴보자!

학습 결과와
시간을 써 보세요!

학습 내용	학습 회차	맞힌 개수/걸린 시간
1. 분수	DAY 01	/
	DAY 02	/
2. 분수의 크기 비교	DAY 03	/
	DAY 04	/
	DAY 05	/
3. 소수 한 자리 수	DAY 06	/
	DAY 07	/
	DAY 08	/
4. 소수의 크기 비교	DAY 09	/
	DAY 10	/
5. 분수와 소수의 크기 비교	DAY 11	/
마무리 연산	DAY 12	/
	DAY 13	/

◎ 5단계 분수와 소수

1. 분수

예 $\frac{1}{2}$ 알아보기

 전체를 똑같이 2로 나눈 것 중의 1

➡ 쓰기 $\frac{1}{2}$ ← 분자
← 분모

읽기 2분의 1

$\frac{1}{2}, \frac{2}{3}, \frac{3}{4}$ ⋯⋯과 같은 수를 분수라고 해!

● 색칠한 부분을 분수로 나타내기

 ➡ $\frac{3}{4}$ ← 색칠한 칸의 수
← 전체 칸의 수

🐙 그림을 보고 ☐ 안에 알맞은 수를 써넣으세요.

1 부분 ◢ 은 전체 △ 를 똑같이 3으로 나눈 것 중의 1 ➡ $\frac{1}{3}$

2 부분 ◗ 은 전체 ⊕ 를 똑같이 4로 나눈 것 중의 ☐ ➡ $\frac{☐}{4}$

3 부분 ▮ 은 전체 ▥ 를 똑같이 ☐로 나눈 것 중의 ☐ ➡ $\frac{☐}{☐}$

4 부분 ◈ 은 전체 ⬡ 를 똑같이 ☐으로 나눈 것 중의 ☐ ➡ $\frac{☐}{☐}$

🐙 색칠한 부분을 분수로 나타내세요.

5

$\dfrac{1}{2}$ ← 색칠한 칸의 수
　　← 전체 칸의 수

6 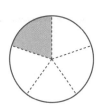 $\dfrac{\square}{\square}$

7 $\dfrac{\square}{\square}$

8  $\dfrac{\square}{\square}$

9 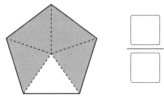 $\dfrac{\square}{\square}$

10 $\dfrac{\square}{\square}$

11 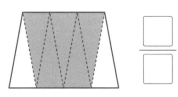 $\dfrac{\square}{\square}$

12 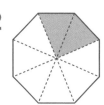 $\dfrac{\square}{\square}$

13 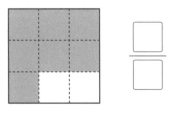 $\dfrac{\square}{\square}$

14 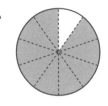 $\dfrac{\square}{\square}$

1. 분수

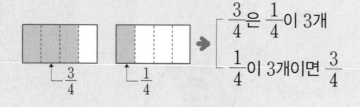

예 $\frac{3}{4}$은 $\frac{1}{4}$이 몇 개인지 알아보기

$\frac{3}{4}$은 $\frac{1}{4}$이 3개

$\frac{1}{4}$이 3개이면 $\frac{3}{4}$

$\frac{\blacktriangle}{\blacksquare}$는 $\frac{1}{\blacksquare}$이 $\blacktriangle$개야.

🐙 ☐ 안에 알맞은 수를 써넣으세요.

1 $\frac{2}{3}$는 $\frac{1}{3}$이 $\boxed{2}$ 개

2 $\frac{4}{5}$는 $\frac{1}{5}$이 ☐ 개

3 $\frac{5}{9}$는 $\frac{1}{9}$이 ☐ 개

4 $\frac{9}{10}$는 $\frac{1}{10}$이 ☐ 개

5 $\frac{7}{12}$은 $\frac{1}{12}$이 ☐ 개

6 $\frac{10}{13}$은 $\frac{1}{13}$이 ☐ 개

7 $\frac{16}{18}$은 $\frac{1}{18}$이 ☐ 개

8 $\frac{13}{19}$은 $\frac{1}{19}$이 ☐ 개

9 $\frac{12}{21}$는 $\frac{1}{21}$이 ☐ 개

10 $\frac{23}{25}$은 $\frac{1}{25}$이 ☐ 개

🐙 ☐ 안에 알맞은 수를 써넣으세요.

11 $\dfrac{1}{5}$이 3개이면 $\dfrac{3}{5}$

12 $\dfrac{1}{6}$이 5개이면 $\dfrac{5}{6}$

13 $\dfrac{1}{7}$이 6개이면 $\dfrac{\square}{\square}$

14 $\dfrac{1}{9}$이 4개이면 $\dfrac{\square}{\square}$

15 $\dfrac{1}{10}$이 9개이면 $\dfrac{\square}{\square}$

16 $\dfrac{1}{11}$이 8개이면 $\dfrac{\square}{\square}$

17 $\dfrac{1}{12}$이 7개이면 $\dfrac{\square}{\square}$

18 $\dfrac{1}{15}$이 8개이면 $\dfrac{\square}{\square}$

19 $\dfrac{1}{16}$이 9개이면 $\dfrac{\square}{\square}$

20 $\dfrac{1}{17}$이 15개이면 $\dfrac{\square}{\square}$

21 $\dfrac{1}{20}$이 19개이면 $\dfrac{\square}{\square}$

22 $\dfrac{1}{22}$이 21개이면 $\dfrac{\square}{\square}$

⦿ 5단계 분수와 소수

2. 분수의 크기 비교

● 분모가 같은 분수의 크기 비교

예 $\frac{2}{5}$와 $\frac{3}{5}$의 크기 비교

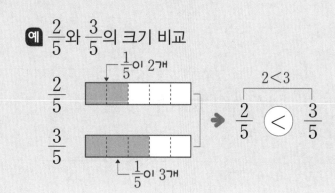

$\frac{2}{5}$ ⟶ $\frac{2}{5}$ $<$ $\frac{3}{5}$

$2 < 3$

분모가 같은 분수는
분자가 클수록 더 커!

🐙 그림을 보고 크기를 비교하여 ◯ 안에 >, =, <를 알맞게 써넣으세요.

1

$\frac{1}{3}$ $<$ $\frac{2}{3}$

2

$\frac{3}{4}$ ◯ $\frac{2}{4}$

3

$\frac{1}{5}$ ◯ $\frac{4}{5}$

4

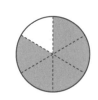

$\frac{5}{6}$ ◯ $\frac{2}{6}$

5

$\frac{3}{7}$ ◯ $\frac{4}{7}$

6

$\frac{6}{8}$ ◯ $\frac{2}{8}$

🐙 더 큰 분수에 ○표 하세요.

7 $\dfrac{3}{4}$ $\dfrac{2}{4}$

8 $\dfrac{1}{5}$ $\dfrac{3}{5}$

9 $\dfrac{5}{6}$ $\dfrac{4}{6}$

10 $\dfrac{3}{8}$ $\dfrac{4}{8}$

11 $\dfrac{5}{9}$ $\dfrac{6}{9}$

12 $\dfrac{9}{10}$ $\dfrac{8}{10}$

13 $\dfrac{11}{15}$ $\dfrac{14}{15}$

14 $\dfrac{6}{12}$ $\dfrac{8}{12}$

15 $\dfrac{5}{7}$ $\dfrac{2}{7}$

16 $\dfrac{11}{13}$ $\dfrac{12}{13}$

17 $\dfrac{2}{5}$ $\dfrac{4}{5}$

18 $\dfrac{11}{14}$ $\dfrac{9}{14}$

🎯 5단계 분수와 소수

2. 분수의 크기 비교

● 단위분수의 크기 비교

예 $\frac{1}{2}$과 $\frac{1}{5}$의 크기 비교

$\frac{1}{2}$

$\frac{1}{5}$

➡ $\frac{1}{2}$ ⧁ $\frac{1}{5}$

2<5

> 분자가 1인 분수를 단위분수라 하고, 단위분수는 분모가 작을수록 더 커!

🐙 그림을 보고 크기를 비교하여 ◯ 안에 >, =, <를 알맞게 써넣으세요.

1

$\frac{1}{4}$ ⧀ $\frac{1}{2}$

2
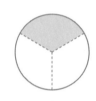 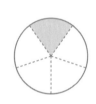

$\frac{1}{3}$ ◯ $\frac{1}{5}$

3
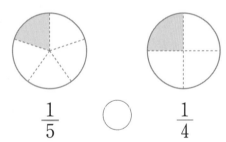

$\frac{1}{5}$ ◯ $\frac{1}{4}$

4
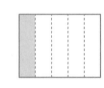

$\frac{1}{5}$ ◯ $\frac{1}{2}$

5
 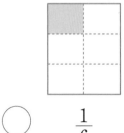

$\frac{1}{8}$ ◯ $\frac{1}{6}$

6
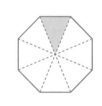 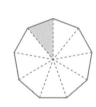

$\frac{1}{8}$ $\frac{1}{9}$

🐙 더 큰 분수가 적힌 풍선의 줄에 ◯표 하세요.

7

8

9

10

11

12

13

14

15

16

2. 분수의 크기 비교

🐙 크기를 비교하여 ◯ 안에 >, =, <를 알맞게 써넣으세요.

1 $\dfrac{2}{3}$ ◯ $\dfrac{1}{3}$

2 $\dfrac{1}{4}$ ◯ $\dfrac{3}{4}$

3 $\dfrac{2}{6}$ ◯ $\dfrac{3}{6}$

4 $\dfrac{7}{8}$ ◯ $\dfrac{5}{8}$

5 $\dfrac{4}{9}$ ◯ $\dfrac{7}{9}$

6 $\dfrac{8}{10}$ ◯ $\dfrac{7}{10}$

7 $\dfrac{3}{11}$ ◯ $\dfrac{6}{11}$

8 $\dfrac{5}{13}$ ◯ $\dfrac{11}{13}$

9 $\dfrac{9}{15}$ ◯ $\dfrac{7}{15}$

10 $\dfrac{1}{6}$ ◯ $\dfrac{1}{2}$

11 $\dfrac{1}{3}$ ◯ $\dfrac{1}{9}$

12 $\dfrac{1}{4}$ ◯ $\dfrac{1}{7}$

13 $\dfrac{1}{8}$ ◯ $\dfrac{1}{5}$

14 $\dfrac{1}{7}$ ◯ $\dfrac{1}{9}$

15 $\dfrac{1}{10}$ ◯ $\dfrac{1}{8}$

16 $\dfrac{1}{11}$ ◯ $\dfrac{1}{13}$

17 $\dfrac{1}{14}$ ◯ $\dfrac{1}{12}$

18 $\dfrac{1}{15}$ ◯ $\dfrac{1}{10}$

🐙 가장 큰 분수와 가장 작은 분수를 구하세요.

19 $\dfrac{4}{6}$ $\dfrac{2}{6}$ $\dfrac{5}{6}$

가장 큰 분수 (   )

가장 작은 분수 (   )

20 $\dfrac{3}{9}$ $\dfrac{8}{9}$ $\dfrac{5}{9}$

가장 큰 분수 (   )

가장 작은 분수 (   )

21 $\dfrac{11}{14}$ $\dfrac{5}{14}$ $\dfrac{1}{14}$

가장 큰 분수 (   )

가장 작은 분수 (   )

22 $\dfrac{1}{4}$ $\dfrac{1}{2}$ $\dfrac{1}{3}$

가장 큰 분수 (   )

가장 작은 분수 (   )

23 $\dfrac{1}{5}$ $\dfrac{1}{7}$ $\dfrac{1}{9}$

가장 큰 분수 (   )

가장 작은 분수 (   )

24 $\dfrac{1}{10}$ $\dfrac{1}{13}$ $\dfrac{1}{8}$

가장 큰 분수 (   )

가장 작은 분수 (   )

💡 **생활 속 연산**

민수, 리아, 세호는 피자 한 판을 10조각으로 나누어 먹었습니다.
민수는 피자의 $\dfrac{3}{10}$, 리아는 피자의 $\dfrac{4}{10}$, 세호는 피자의 $\dfrac{3}{10}$ 을 먹었습니다. 피자를 가장 많이 먹은 사람은 누구인지 쓰세요.

(   )

3. 소수 한 자리 수

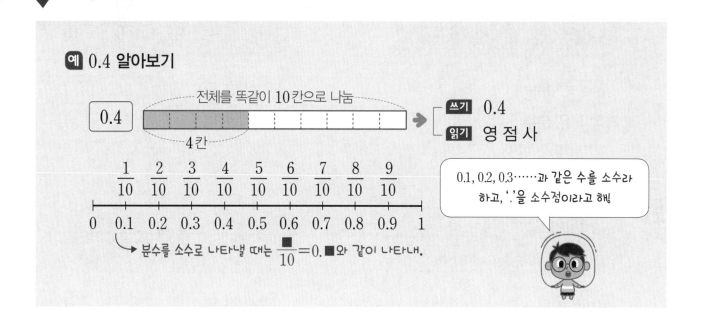

예 0.4 알아보기

전체를 똑같이 10칸으로 나눔

0.4

4칸

쓰기 0.4
읽기 영 점 사

$\frac{1}{10}$ $\frac{2}{10}$ $\frac{3}{10}$ $\frac{4}{10}$ $\frac{5}{10}$ $\frac{6}{10}$ $\frac{7}{10}$ $\frac{8}{10}$ $\frac{9}{10}$

0 0.1 0.2 0.3 0.4 0.5 0.6 0.7 0.8 0.9 1

분수를 소수로 나타낼 때는 $\frac{■}{10}$ = 0.■ 와 같이 나타내.

0.1, 0.2, 0.3……과 같은 수를 소수라 하고, '.'을 소수점이라고 해.

🐙 색칠한 부분을 소수로 나타내세요.

1

0.3

전체를 똑같이 10칸으로 나눈 것 중의 3칸이야.

2

3

4

5

6

🐙 ☐ 안에 알맞은 수를 써넣으세요.

7   0.1이 2개 ➡ $\boxed{0.2}$ **8**   0.1 ➡ 0.1이 $\boxed{1}$ 개

9   0.1이 7개 ➡ $\boxed{}$ **10**   0.4 ➡ 0.1이 $\boxed{}$ 개

11   0.1이 5개 ➡ $\boxed{}$ **12**   0.3 ➡ 0.1이 $\boxed{}$ 개

13   0.1이 9개 ➡ $\boxed{}$ **14**   0.8 ➡ 0.1이 $\boxed{}$ 개

15   0.1이 8개 ➡ $\boxed{}$ **16**   0.6 ➡ 0.1이 $\boxed{}$ 개

17   0.1이 4개 ➡ $\boxed{}$ **18**   0.2 ➡ 0.1이 $\boxed{}$ 개

19   0.1이 6개 ➡ $\boxed{}$ **20**   0.7 ➡ 0.1이 $\boxed{}$ 개

🎯 5단계 분수와 소수

3. 소수 한 자리 수

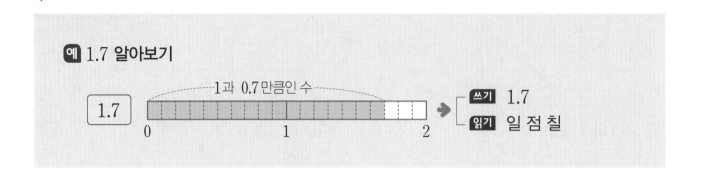

예 1.7 알아보기

1과 0.7만큼인 수

1.7

0   1   2

쓰기 1.7
읽기 일 점 칠

🐙 색칠한 부분을 소수로 나타내세요.

1

1.2

→ 1과 0.2만큼인 수

2

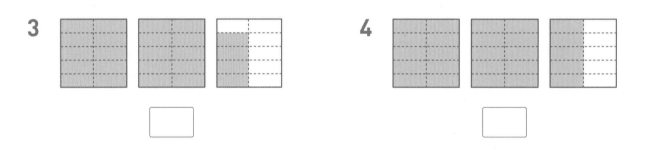

3

4

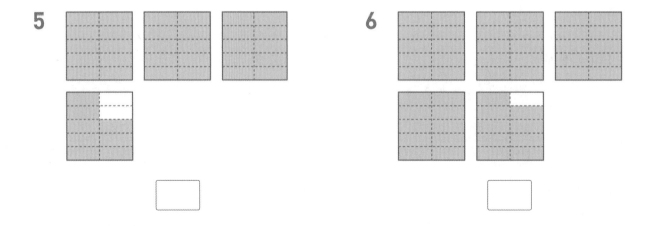

5

6

🐙 ☐ 안에 알맞은 수를 써넣으세요.

7 0.1이 15개 ➡ 1.5

8 1.4 ➡ 0.1이 14 개

9 0.1이 21개 ➡ ☐

10 2.8 ➡ 0.1이 ☐ 개

11 0.1이 37개 ➡ ☐

12 2.5 ➡ 0.1이 ☐ 개

13 0.1이 19개 ➡ ☐

14 3.3 ➡ 0.1이 ☐ 개

15 0.1이 35개 ➡ ☐

16 4.5 ➡ 0.1이 ☐ 개

17 0.1이 24개 ➡ ☐

18 5.6 ➡ 0.1이 ☐ 개

19 0.1이 54개 ➡ ☐

20 7.1 ➡ 0.1이 ☐ 개

5단계 분수와 소수

3. 소수 한 자리 수

● mm와 cm 단위의 관계

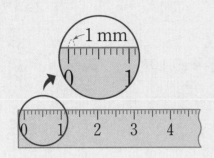

1 mm는 1 cm를 10칸으로
나눈 것 중의 한 칸이므로
1 mm=0.1 cm입니다.

3 cm 6 mm는
3.6 cm와 같아!

🐙 막대의 길이를 소수로 나타내세요.

1

1 cm 3 mm = 1.3 cm

→ 3 mm는 0.3 cm야.

2

1 cm 8 mm = ☐ cm

3

2 cm 7 mm = ☐ cm

4

2 cm 4 mm = ☐ cm

5

3 cm 4 mm = ☐ cm

6

3 cm 8 mm = ☐ cm

🐙 같은 길이가 되도록 ☐ 안에 알맞은 수를 써넣으세요.

7　1 cm 6 mm = ☐ cm

8　11 mm = ☐ cm

9　3 cm 1 mm = ☐ cm

10　45 mm = ☐ cm

11　5 cm 8 mm = ☐ cm

12　23 mm = ☐ cm

13　6 cm 6 mm = ☐ cm

14　97 mm = ☐ cm

15　7 cm 4 mm = ☐ cm

16　22 mm = ☐ cm

17　11 cm 5 mm = ☐ cm

18　137 mm = ☐ cm

💡 **생활 속 연산**

근하는 집에서 가지를 키우고 있습니다. 가지의 키를 재어 보니 어제 는 9 cm였고 오늘은 어제보다 7 mm만큼 더 자랐습니다. 오늘 가지 의 키는 몇 cm인지 구하세요.

(　　　　　　　　)

◎ 5단계 분수와 소수

4. 소수의 크기 비교

● 1보다 작은 소수의 크기 비교

예 0.2와 0.5의 크기 비교

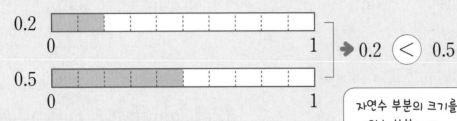

➡ 0.2 ⓛ 0.5

● 자연수가 있는 소수의 크기 비교

• 자연수가 다른 경우	• 자연수가 같은 경우
4.5 < 6.2	3.7 > 3.4
└4<6┘	└7>4┘

자연수 부분의 크기를 먼저 비교하고, 자연수 부분의 크기가 같은 경우에는 소수 부분의 크기를 비교해!

🐙 크기를 비교하여 ○ 안에 >, =, <를 알맞게 써넣으세요.

1 0.1 Ⓛ 0.4

2 0.2 ○ 0.3

3 0.6 ○ 0.5

4 0.4 ○ 0.7

5 0.8 ○ 0.3

6 0.4 ○ 0.5

7 0.5 ○ 0.2

8 0.6 ○ 0.7

9 0.7 ○ 0.5

10 0.7 ○ 0.8

11 0.8 ○ 0.4

12 0.9 ○ 0.8

🐙 더 큰 소수에 ○표 하세요.

13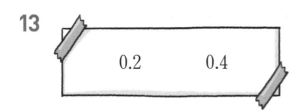
0.2　　0.4

14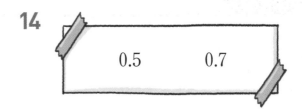
0.5　　0.7

15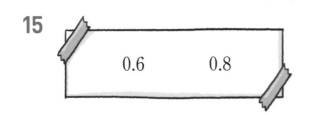
0.6　　0.8

16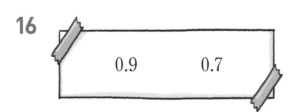
0.9　　0.7

17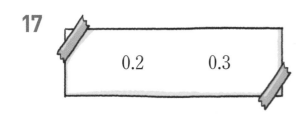
0.2　　0.3

18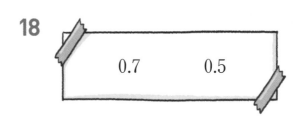
0.7　　0.5

19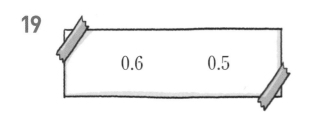
0.6　　0.5

20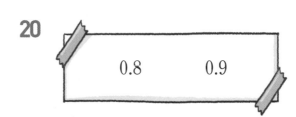
0.8　　0.9

21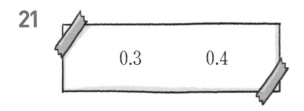
0.3　　0.4

22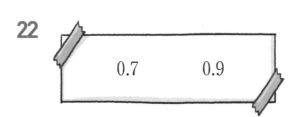
0.7　　0.9

23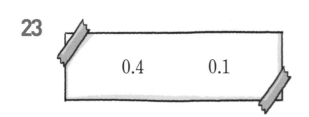
0.4　　0.1

24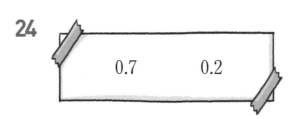
0.7　　0.2

4. 소수의 크기 비교

🐙 크기를 비교하여 ◯ 안에 ＞, ＝, ＜를 알맞게 써넣으세요.

1 1.2 ◯ 1.4

2 2.5 ◯ 2.3

3 3.6 ◯ 3.1

4 3.8 ◯ 3.9

5 4.3 ◯ 4.4

6 5.1 ◯ 5.2

7 6.4 ◯ 6.3

8 7.1 ◯ 7.5

9 7.7 ◯ 7.8

10 8.1 ◯ 8.2

11 8.8 ◯ 8.6

12 9.3 ◯ 9.6

13 2.1 ◯ 1.9

14 3.4 ◯ 7.5

15 4.2 ◯ 2.6

16 4.5 ◯ 5.5

17 5.3 ◯ 1.3

18 5.9 ◯ 8.4

19 6.6 ◯ 3.8

20 6.8 ◯ 9.1

21 7.5 ◯ 4.6

더 작은 소수가 적힌 풍선의 줄에 △표 하세요.

22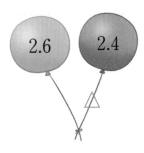

23

24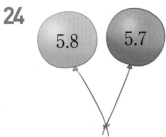

25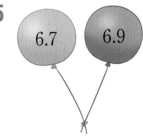

26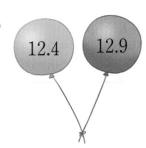

27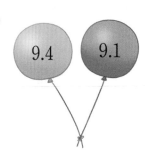

28

29

30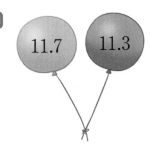

31

5. 분수와 소수의 크기 비교

예 $\dfrac{4}{10}$ 와 0.7의 크기 비교

$$\dfrac{4}{10} \;<\; 0.7 = \dfrac{7}{10} \;\Rightarrow\; 0.7을 \dfrac{7}{10}로\ 고쳐서\ \dfrac{4}{10} < \dfrac{7}{10}로\ 비교$$

$$0.4 = \dfrac{4}{10} \;<\; 0.7 \;\Rightarrow\; \dfrac{4}{10}를\ 0.4로\ 고쳐서\ 0.4 < 0.7로\ 비교$$

🐙 크기를 비교하여 ◯ 안에 >, =, <를 알맞게 써넣으세요.

1 $\dfrac{3}{10}$ ⬭< 0.8

2 0.5 ◯ $\dfrac{7}{10}$

3 $\dfrac{6}{10}$ ◯ 0.6

4 0.4 ◯ $\dfrac{2}{10}$

5 0.3 ◯ $\dfrac{8}{10}$

6 0.7 ◯ $\dfrac{5}{10}$

7 $\dfrac{9}{10}$ ◯ 0.9

8 0.2 ◯ $\dfrac{1}{10}$

9 $\dfrac{4}{10}$ ◯ 0.5

10 0.6 ◯ $\dfrac{7}{10}$

11 $\dfrac{3}{10}$ ◯ 0.4

12 0.9 ◯ $\dfrac{8}{10}$

🐙 가장 큰 수와 가장 작은 수를 구하세요.

13

$$\frac{1}{10} \quad 0.6 \quad \frac{5}{10} \quad 0.9$$

가장 큰 수 (   )

가장 작은 수 (   )

14

$$0.4 \quad \frac{7}{10} \quad 0.8 \quad \frac{2}{10}$$

가장 큰 수 (   )

가장 작은 수 (   )

15

$$0.3 \quad \frac{4}{10} \quad \frac{8}{10} \quad 0.5$$

가장 큰 수 (   )

가장 작은 수 (   )

16

$$\frac{6}{10} \quad 0.7 \quad 0.2 \quad \frac{9}{10}$$

가장 큰 수 (   )

가장 작은 수 (   )

17

$$0.4 \quad \frac{3}{10} \quad 0.6 \quad \frac{5}{10}$$

가장 큰 수 (   )

가장 작은 수 (   )

18

$$\frac{4}{10} \quad 0.8 \quad \frac{7}{10} \quad 0.5$$

가장 큰 수 (   )

가장 작은 수 (   )

💡 **생활 속 연산**

나형이가 수학과 영어를 공부한 시간입니다. 수학과 영어 중에서 더 오래 공부한 과목은 무엇인지 구하세요.

수학	영어
$\frac{6}{10}$시간	0.8시간

(   )

⊙5단계 분수와 소수

마무리 연산

 □ 안에 알맞은 수를 써넣으세요.

1 $\dfrac{2}{3}$는 $\dfrac{1}{3}$이 ☐ 개

2 $\dfrac{3}{4}$은 $\dfrac{1}{4}$이 ☐ 개

3 $\dfrac{5}{6}$는 $\dfrac{1}{6}$이 ☐ 개

4 $\dfrac{7}{8}$은 $\dfrac{1}{8}$이 ☐ 개

5 $\dfrac{8}{9}$은 $\dfrac{1}{9}$이 ☐ 개

6 $\dfrac{12}{13}$는 $\dfrac{1}{13}$이 ☐ 개

7 $\dfrac{1}{5}$이 3개 ➡ $\dfrac{\Box}{\Box}$

8 $\dfrac{1}{6}$이 5개 ➡ $\dfrac{\Box}{\Box}$

9 $\dfrac{1}{7}$이 3개 ➡ $\dfrac{\Box}{\Box}$

10 $\dfrac{1}{8}$이 5개 ➡ $\dfrac{\Box}{\Box}$

11 $\dfrac{1}{9}$이 7개 ➡ $\dfrac{\Box}{\Box}$

12 $\dfrac{1}{12}$이 11개 ➡ $\dfrac{\Box}{\Box}$

🐙 크기를 비교하여 ◯ 안에 $>$, $=$, $<$를 알맞게 써넣으세요.

13 $\dfrac{2}{4} \bigcirc \dfrac{1}{4}$

14 $\dfrac{1}{5} \bigcirc \dfrac{2}{5}$

15 $\dfrac{4}{6} \bigcirc \dfrac{5}{6}$

16 $\dfrac{4}{7} \bigcirc \dfrac{2}{7}$

17 $\dfrac{3}{8} \bigcirc \dfrac{6}{8}$

18 $\dfrac{8}{9} \bigcirc \dfrac{5}{9}$

19 $\dfrac{4}{10} \bigcirc \dfrac{9}{10}$

20 $\dfrac{7}{12} \bigcirc \dfrac{5}{12}$

21 $\dfrac{11}{14} \bigcirc \dfrac{13}{14}$

22 $\dfrac{1}{2} \bigcirc \dfrac{1}{8}$

23 $\dfrac{1}{5} \bigcirc \dfrac{1}{3}$

24 $\dfrac{1}{6} \bigcirc \dfrac{1}{9}$

25 $\dfrac{1}{7} \bigcirc \dfrac{1}{10}$

26 $\dfrac{1}{10} \bigcirc \dfrac{1}{12}$

27 $\dfrac{1}{14} \bigcirc \dfrac{1}{11}$

28 $\dfrac{1}{13} \bigcirc \dfrac{1}{15}$

29 $\dfrac{1}{14} \bigcirc \dfrac{1}{9}$

30 $\dfrac{1}{16} \bigcirc \dfrac{1}{18}$

5단계 분수와 소수

마무리 연산

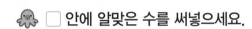 □ 안에 알맞은 수를 써넣으세요.

1 0.1이 3개 ➔ [ ]

2 0.1이 6개 ➔ [ ]

3 0.1이 13개 ➔ [ ]

4 0.1이 27개 ➔ [ ]

5 0.6 ➔ 0.1이 [ ]개

6 0.9 ➔ 0.1이 [ ]개

7 3.1 ➔ 0.1이 [ ]개

8 4.5 ➔ 0.1이 [ ]개

9 5 mm = [ ] cm

10 24 mm = [ ] cm

11 2 cm 7 mm = [ ] cm

12 4 cm 1 mm = [ ] cm

13 6 cm 3 mm = [ ] cm

14 8 cm 9 mm = [ ] cm

🐙 크기를 비교하여 ◯ 안에 >, =, <를 알맞게 써넣으세요.

15 0.2 ◯ 0.5

16 0.3 ◯ 0.2

17 0.5 ◯ 0.9

18 0.6 ◯ 0.1

19 0.8 ◯ 0.9

20 0.9 ◯ 0.4

21 1.7 ◯ 1.8

22 2.4 ◯ 2.1

23 4.6 ◯ 4.3

24 5.5 ◯ 5.9

25 6.6 ◯ 6.2

26 9.4 ◯ 9.6

27 6.2 ◯ 7.2

28 8.1 ◯ 4.8

29 9.5 ◯ 5.9

30 0.4 ◯ $\frac{4}{10}$

31 $\frac{5}{10}$ ◯ 0.9

32 0.1 ◯ $\frac{6}{10}$

33 $\frac{7}{10}$ ◯ 0.2

34 0.8 ◯ $\frac{5}{10}$

35 $\frac{9}{10}$ ◯ 0.3

MEMO

MEMO

힘수 연산으로 수학 기초 체력 UP!

이제 정답을
확인하러 가 볼까?

힘이 붙는 **수학** 연산

정답

초등 3A

금성출판사

차례

정답

초등 3A

하나 둘!
하나 둘!

1단계 덧셈과 뺄셈

DAY 01
8~9쪽

1. 받아올림이 없는 (세 자리 수)+(세 자리 수)

1 378	2 499	3 399
4 467	5 478	6 757
7 764	8 987	9 898
10 345	11 487	12 698
13 887	14 597	15 876
16 777	17 596	18 884
19 979	20 898	21 978
22 855	23 996	24 967

DAY 03
12~13쪽

2. 받아올림이 한 번 있는 (세 자리 수)+(세 자리 수)

1 244	2 567	3 361
4 540	5 552	6 662
7 731	8 763	9 870
10 331	11 674	12 862
13 571	14 880	15 562
16 876	17 770	18 262
19 847	20 573	21 884
22 470	23 956	24 974

DAY 02
10~11쪽

1. 받아올림이 없는 (세 자리 수)+(세 자리 수)

1 868	2 789	3 578
4 966	5 699	6 959
7 467	8 297	9 788
10 895	11 875	12 989
13 439	14 955	15 599
16 368	17 588	18 788
19 687	20 895	21 998
22 277	23 838	24 399

DAY 04
14~15쪽

2. 받아올림이 한 번 있는 (세 자리 수)+(세 자리 수)

1 475	2 709	3 618
4 959	5 707	6 558
7 846	8 489	9 911
10 525	11 857	12 506
13 727	14 719	15 844
16 417	17 935	18 823
19 338	20 866	21 909
22 468	23 957	24 748

DAY 05

16~17쪽

2. 받아올림이 한 번 있는 (세 자리 수)+(세 자리 수)

1 1295	2 1189	3 1087
4 1258	5 1067	6 1388
7 1645	8 1399	9 1763
10 1076	11 1189	12 1057
13 1181	14 1199	15 1385
16 1173	17 1366	18 1273
19 1569	20 1186	21 1459
22 1322	23 1546	24 1878

DAY 07

20~21쪽

3. 받아올림이 두 번 있는 (세 자리 수)+(세 자리 수)

1 317	2 621	3 620
4 1193	5 1392	6 1291
7 1537	8 1457	9 1009
10 441	11 560	12 832
13 904	14 625	15 1291
16 1023	17 1191	18 1470
19 1397	20 1309	21 1229
22 1589	23 1219	24 1705

DAY 06

18~19쪽

2. 받아올림이 한 번 있는 (세 자리 수)+(세 자리 수)

1 432	2 570	3 572
4 693	5 580	6 857
7 747	8 827	9 848
10 833	11 1086	12 1078
13 1689	14 1374	15 973
16 380		

17
```
      4   8   2
  +   6   0   5
  1   0   8   7
```

18
```
      2   5   7
  +   6   0   5
      8   6   2
```

19
```
      4   9   1
  +   1   2   3
      6   1   4
```

20
```
      4   9   1
  +   2   5   7
      7   4   8
```

DAY 08

22~23쪽

3. 받아올림이 두 번 있는 (세 자리 수)+(세 자리 수)

1 312	2 632	3 432
4 733	5 724	6 542
7 1260	8 1091	9 1890
10 1298	11 1438	12 1518
13 1343	14 1108	15 621
16 627	17 623	18 1340
19 1065	20 1273	21 1075
22 1436	23 1128	24 1516
25 1152		

3. 받아올림이 두 번 있는 (세 자리 수)+(세 자리 수)

1 932   **2** 673   **3** 514

4 820   **5** 1280   **6** 1192

7 1091   **8** 1052   **9** 1409

10 1139   **11** 1339   **12** 1237

13 1419   **14** 1028

15

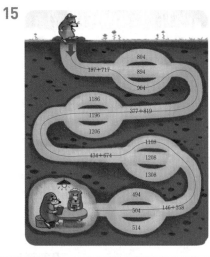

4. 받아올림이 세 번 있는 (세 자리 수)+(세 자리 수)

1 1110   **2** 1135   **3** 1230

4 1061   **5** 1025   **6** 1532

7 1350   **8** 1463   **9** 1712

10 1034   **11** 1131   **12** 1000

13 1212   **14** 1472   **15** 1113

16 1231   **17** 1343   **18** 1550

19 1256   **20** 1500   **21** 1412

22 1774   **23** 1666

4. 받아올림이 세 번 있는 (세 자리 수)+(세 자리 수)

1 1120   **2** 1165   **3** 1104

4 1100   **5** 1400   **6** 1314

7 1112   **8** 1331   **9** 1422

10 1712   **11** 1210   **12** 1021

13 1312   **14** 1405

15 1061, 1115   **16** 1042, 1214

17 1251, 1030   **18** 1040, 1423

19 1226, 1410   **20** 1512, 1220

생활 속 연산 1413명

5. 받아내림이 없는 (세 자리 수)-(세 자리 수)

1 153   **2** 121   **3** 140

4 441   **5** 403   **6** 332

7 511   **8** 162   **9** 521

10 113   **11** 230   **12** 112

13 365   **14** 243   **15** 302

16 111   **17** 530   **18** 314

19 511   **20** 204   **21** 441

22 131   **23** 653   **24** 307

DAY 13 32~33쪽

5. 받아내림이 없는 (세 자리 수)−(세 자리 수)

1 131	2 111	3 200
4 234	5 137	6 232
7 332	8 301	9 550
10 163	11 630	12 621
13 501	14 114	15 123
16 154	17 210	18 415
19 221	20 462	21 113
22 241	23 222	24 344
25 143	26 251	

DAY 15 36~37쪽

6. 받아내림이 한 번 있는 (세 자리 수)−(세 자리 수)

1 115	2 273	3 152
4 191	5 384	6 276
7 370	8 295	9 197
10 73	11 170	12 98
13 223	14 193	15 375
16 181	17 381	18 163
19 491	20 163	21 455
22 271	23 454	24 194

DAY 14 34~35쪽

6. 받아내림이 한 번 있는 (세 자리 수)−(세 자리 수)

1 123	2 127	3 315
4 236	5 136	6 308
7 347	8 225	9 415
10 134	11 216	12 107
13 249	14 147	15 427
16 209	17 445	18 207
19 527	20 416	21 473
22 259	23 416	24 115

DAY 16 38~39쪽

6. 받아내림이 한 번 있는 (세 자리 수)−(세 자리 수)

1 107	2 178	3 208
4 226	5 209	6 208
7 226	8 460	9 196
10 389	11 371	12 182
13 692	14 67	15 258
16 319	17 273	18 443
19 362	20 123	21 251
22 372		

생활 속 연산 169명

7. 받아내림이 두 번 있는 (세 자리 수)−(세 자리 수)

1 278	**2** 197	**3** 142
4 179	**5** 281	**6** 485
7 483	**8** 348	**9** 397
10 47	**11** 178	**12** 89
13 269	**14** 78	**15** 289
16 191	**17** 258	**18** 148
19 476	**20** 176	**21** 489
22 353	**23** 278	**24** 193

7. 받아내림이 두 번 있는 (세 자리 수)−(세 자리 수)

1 779	**2** 89	**3** 95
4 176	**5** 268	**6** 357
7 244	**8** 157	**9** 268
10 127	**11** 376	**12** 389
13 97	**14** 386	**15** 57
16 108		

17
```
    4   7   3
  − 3   8   6
        8   7
```
18
```
    5   6   0
  − 2   8   8
    2   7   2
```

19
```
    8   6   1
  − 2   9   4
    5   6   7
```
20
```
    7   0   4
  − 3   5   7
    3   4   7
```

21
```
    9   4   8
  − 5   7   9
    3   6   9
```
22
```
    9   9   0
  − 7   9   8
    1   9   2
```

7. 받아내림이 두 번 있는 (세 자리 수)−(세 자리 수)

1 135	**2** 635	**3** 88
4 176	**5** 478	**6** 198
7 358	**8** 486	**9** 562
10 183	**11** 289	**12** 377
13 299	**14** 667	**15** 479
16 129	**17** 96	**18** 507
19 386	**20** 385	**21** 146
22 269		

생활 속 연산 129명

마무리 연산

1 599	**2** 973	**3** 558
4 772	**5** 928	**6** 882
7 831	**8** 1009	**9** 1125
10 1583	**11** 606	**12** 1166
13 1460	**14** 1253	**15** 1331
16 939	**17** 998	**18** 911
19 324	**20** 810	**21** 781
22 751	**23** 1153	**24** 902
25 1219	**26** 1071	**27** 1220
28 1203	**29** 1220	

DAY 21

마무리 연산

1 222	**2** 510	**3** 659
4 163	**5** 408	**6** 107
7 192	**8** 121	**9** 525
10 476	**11** 229	**12** 599
13 494	**14** 196	**15** 223
16 703	**17** 532	**18** 205
19 104	**20** 695	**21** 603
22 392	**23** 254	**24** 363
25 793	**26** 108	**27** 249
28 575	**29** 259	

🎯 2단계 나눗셈

DAY 01

1. 나눗셈식으로 나타내기

1 2, 5	**2** 5, 2	**3** 2, 6
4 6, 2	**5** 3, 5	**6** 5, 3
7 3, 4	**8** 4, 3	**9** 4, 4
10 8, 2	**11** 5, 4	**12** 4, 5
13 6, 4	**14** 4, 6	

DAY 02

1. 나눗셈식으로 나타내기

1 3	**2** 2	**3** 6
4 7	**5** 3	**6** 4
7 5	**8** 8	**9** 6
10 5	**11** 4	**12** 2, 7
13 9, 3	**14** 7, 5	**15** 7, 6
16 9, 5	**17** 9, 6	**18** 8, 7

생활 속 연산 3명

2. 곱셈과 나눗셈의 관계

1 3, 2	**2** 5, 3	**3** 6, 4
4 7, 5	**5** 7, 6	**6** 8, 7
7 6, 8	**8** 8, 9	**9** 8, 2
10 4, 12	**11** 18, 9	**12** 3, 21
13 28, 7	**14** 6, 30	**15** 36, 4
16 5, 40	**17** 45, 9	**18** 8, 56
19 63, 7, 63		

2. 곱셈과 나눗셈의 관계

1 4, 2	**2** 5, 2
3 8, 4	**4** 3, 5
5 24, 4, 24, 6	**6** 56, 8, 56, 7
7 63, 9, 63, 7	**8** 40, 5, 40, 8
9 72, 9, 72, 8	**10** 27, 3, 27, 9
11 5, 15, 3, 15	**12** 5, 20, 4, 20
13 8, 24, 3, 24	**14** 6, 24, 4, 24
15 6, 30, 5, 30	**16** 8, 32, 4, 32
17 5, 35, 7, 35	**18** 7, 42, 6, 42
19 5, 45, 9, 45	**20** 8, 48, 6, 48
21 6, 54, 9, 54	**22** 9, 63, 7, 63

3. 나눗셈의 몫 구하기

1 7	**2** 6	**3** 4
4 5	**5** 8	**6** 5
7 6	**8** 8	**9** 6, 6
10 3, 3	**11** 7, 7	**12** 3, 3
13 8, 8	**14** 9, 9	**15** 2, 2
16 5, 5	**17** 6, 6	**18** 3, 3
19 7, 7	**20** 7, 7	**21** 4, 4
22 7, 7		

3. 나눗셈의 몫 구하기

1 3	**2** 5	**3** 4
4 3	**5** 3	**6** 5
7 6	**8** 8	**9** 8
10 8	**11** 5	**12** 4
13 6	**14** 5	**15** 6
16 9	**17** 6	**18** 7
19 5	**20** 7	

DAY 07 64~65쪽

3. 나눗셈의 몫 구하기

1 2	**2** 3	**3** 2
4 2	**5** 2	**6** 9
7 3	**8** 3	**9** 4
10 9	**11** 6	**12** 7
13 7	**14** 8	**15** 7
16 5	**17** 8	**18** 4
19 6	**20** 9	**21** 6
22 9	**23** 7	**24** 3

생활 속 연산 5개

DAY 08 66~67쪽

마무리 연산

1 3, 2	**2** 4, 5	**3** 6, 5
4 3, 7	**5** 8, 5	**6** 4, 3
7 24, 24	**8** 5, 7	**9** 45, 45
10 8, 7	**11** 3	**12** 5
13 4	**14** 3	**15** 4
16 5	**17** 7	**18** 4
19 7	**20** 7	**21** 6
22 8	**23** 8	**24** 9

🎯 3단계 곱셈

DAY 01 70~71쪽

1. (몇십)×(몇)

1 6, 60	**2** 24, 240	**3** 40, 400
4 30, 300	**5** 72, 720	**6** 63, 630
7 90	**8** 100	**9** 180
10 240	**11** 200	**12** 280
13 250	**14** 450	**15** 360
16 540	**17** 210	**18** 560
19 450	**20** 810	

DAY 02 72~73쪽

1. (몇십)×(몇)

1 80	**2** 140	**3** 150
4 270	**5** 120	**6** 320
7 150	**8** 300	**9** 120
10 420	**11** 280	**12** 630
13 400	**14** 640	**15** 540
16 60	**17** 160	**18** 420
19 480	**20** 400	**21** 540
22 720	**23** 560	**24** 360
25 350		

2. 올림이 없는 (몇십몇)×(몇)

1 36	2 48	3 28
4 42	5 69	6 64
7 68	8 82	9 88
10 22	11 55	12 88
13 24	14 39	15 26
16 63	17 44	18 48
19 93	20 96	21 66
22 99	23 84	24 86

3. 십의 자리에서 올림이 있는 (몇십몇)×(몇)

1 126	2 189	3 217
4 168	5 159	6 124
7 355	8 246	9 728
10 105	11 147	12 124
13 186	14 128	15 123
16 126	17 408	18 104
19 122	20 189	21 639
22 288	23 168	24 276

2. 올림이 없는 (몇십몇)×(몇)

1 33	2 22	3 24
4 39	5 28	6 42
7 46	8 93	9 82
10 48	11 44	12 69
13 64	14 86	15 55
16 66	17 36	18 28
19 42	20 44	21 96
22 66	23 82	24 99

3. 십의 자리에서 올림이 있는 (몇십몇)×(몇)

1 168	2 217	3 128
4 123	5 129	6 156
7 128	8 288	9 249
10 186	11 208	12 637
13 486	14 246	15 104, 164
16 148, 188	17 186, 276	18 159, 219
19 168, 328	20 366, 546	

생활 속 연산   126개

DAY 07

4. 일의 자리에서 올림이 있는 (몇십몇)×(몇)

1 60	**2** 98	**3** 51
4 92	**5** 84	**6** 74
7 76	**8** 90	**9** 98
10 52	**11** 75	**12** 48
13 90	**14** 38	**15** 72
16 50	**17** 81	**18** 75
19 70	**20** 72	**21** 78
22 92	**23** 94	**24** 96

DAY 09

5. 올림이 두 번 있는 (몇십몇)×(몇)

1 108	**2** 138	**3** 170
4 315	**5** 118	**6** 201
7 304	**8** 425	**9** 196
10 144	**11** 198	**12** 100
13 216	**14** 273	**15** 240
16 495	**17** 177	**18** 372
19 134	**20** 511	**21** 592
22 410	**23** 352	**24** 288

DAY 08

4. 일의 자리에서 올림이 있는 (몇십몇)×(몇)

1 84	**2** 78	**3** 45
4 64	**5** 34	**6** 85
7 72	**8** 57	**9** 96
10 78	**11** 56	**12** 87
13 76	**14** 90	

15 12×6에 ○표 **16** 15×5에 ○표

17 23×4에 ○표 **18** 27×3에 ○표

19 35×2에 ○표 **20** 28×3에 ○표

21 24×4에 ○표 **22** 48×2에 ○표

DAY 10

5. 올림이 두 번 있는 (몇십몇)×(몇)

1 144	**2** 198	**3** 105
4 280	**5** 343	**6** 252
7 112	**8** 237	**9** 576
10 664	**11** 182	**12** 828
13 276	**14** 198	**15** 132
16 477	**17** 125	**18** 228
19 406	**20** 390	**21** 144
22 260	**23** 425	**24** 470

생활 속 연산 216개

마무리 연산

1 200	**2** 140	**3** 360
4 86	**5** 84	**6** 39
7 48	**8** 93	**9** 88
10 186	**11** 148	**12** 106
13 355	**14** 246	**15** 279
16 180	**17** 160	**18** 140
19 450	**20** 36	**21** 48
22 66	**23** 48	**24** 146
25 108	**26** 208	**27** 126
28 305	**29** 328	

마무리 연산

1 84	**2** 92	**3** 78
4 91	**5** 78	**6** 98
7 370	**8** 280	**9** 342
10 665	**11** 368	**12** 340
13 294	**14** 228	**15** 276
16 74	**17** 87	**18** 92
19 72	**20** 90	**21** 76
22 78	**23** 70	**24** 470
25 576	**26** 378	**27** 396
28 801	**29** 104	

🎯 4단계 길이와 시간

1. cm와 mm 단위의 관계

1 30	**2** 5	**3** 100
4 9, 6	**5** 51	**6** 20
7 87	**8** 59	**9** 148
10 25, 5	**11** 20	**12** 4
13 120	**14** 19	**15** 400
16 70	**17** 115	**18** 10, 7
19 243	**20** 20, 8	**21** 502
22 30, 5	**23** 495	**24** 24, 7

2. cm와 mm가 있는 길이의 합

1 3, 6	**2** 4, 5
3 8, 4	**4** 7, 6
5 9, 8	**6** 8, 9
7 5 cm 5 mm	**8** 8 cm 7 mm
9 7 cm 5 mm	**10** 9 cm 7 mm
11 9 cm 9 mm	**12** 18 cm 3 mm
13 19 cm 8 mm	**14** 25 cm 8 mm
15 26 cm 4 mm	**16** 28 cm 7 mm

DAY 03
100~101쪽

2. cm와 mm가 있는 길이의 합

1 1 / 9, 2		**2** 1 / 7, 3	
3 1 / 11, 1		**4** 1 / 16, 2	
5 1 / 19, 1		**6** 1 / 27, 3	
7 8 cm 4 mm		**8** 11 cm 1 mm	
9 15 cm 1 mm		**10** 13 cm 6 mm	
11 20 cm 3 mm		**12** 24 cm 3 mm	
13 31 cm 2 mm		**14** 35 cm 2 mm	
15 41 cm 7 mm		**16** 47 cm 2 mm	

DAY 04
102~103쪽

2. cm와 mm가 있는 길이의 합

1 5 cm 3 mm		**2** 10 cm 2 mm	
3 8 cm 1 mm		**4** 11 cm 2 mm	
5 18 cm 1 mm		**6** 18 cm 4 mm	
7 19 cm		**8** 17 cm 1 mm	
9 25 cm 1 mm		**10** 23 cm 1 mm	
11 27 cm 2 mm		**12** 30 cm	
13 41 cm 5 mm		**14** 34 cm 3 mm	
15 6, 1		**16** 20, 2	
17 22, 8		**18** 9, 4	
19 30, 1		**20** 54, 2	

생활 속 연산 14 cm

DAY 05
104~105쪽

3. cm와 mm가 있는 길이의 차

1 2, 2		**2** 2, 6	
3 5, 2		**4** 3, 2	
5 10, 5		**6** 12, 1	
7 1 cm 1 mm		**8** 1 cm 7 mm	
9 3 cm 2 mm		**10** 3 cm 1 mm	
11 3 cm 1 mm		**12** 3 cm 1 mm	
13 5 cm 8 mm		**14** 10 cm 4 mm	
15 10 cm 2 mm		**16** 13 cm 2 mm	

DAY 06
106~107쪽

3. cm와 mm가 있는 길이의 차

1 2, 10 / 1, 8		**2** 3, 10 / 1, 7	
3 5, 10 / 2, 7		**4** 6, 10 / 2, 7	
5 8, 10 / 7, 8		**6** 11, 10 / 5, 9	
7 1 cm 5 mm		**8** 2 cm 9 mm	
9 3 cm 9 mm		**10** 3 cm 5 mm	
11 2 cm 8 mm		**12** 4 cm 8 mm	
13 7 cm 3 mm		**14** 8 cm 9 mm	
15 8 cm 6 mm		**16** 7 cm 9 mm	

3. cm와 mm가 있는 길이의 차

1 1 cm 9 mm		**2** 1 cm 4 mm	
3 2 cm 9 mm		**4** 4 cm 5 mm	
5 1 cm 9 mm		**6** 3 cm 5 mm	
7 5 cm 7 mm		**8** 3 cm 9 mm	
9 2 cm 8 mm		**10** 3 cm 8 mm	
11 3 cm 9 mm		**12** 7 cm 5 mm	
13 12 cm 9 mm		**14** 15 cm 8 mm	
15 1, 5		**16** 10, 9	
17 6, 7		**18** 4, 8	
19 8, 6		**20** 8, 9	
21 28, 9		**22** 19, 6	

4. km와 m 단위의 관계

1 2000	**2** 8	**3** 7010
4 10	**5** 1400	**6** 5, 100
7 4900	**8** 6, 260	**9** 3850
10 9, 50	**11** 3000	**12** 4
13 5200	**14** 5, 740	**15** 6150
16 2, 50	**17** 8050	**18** 7, 80
19 7007	**20** 8, 909	**21** 10010
22 9, 500	**23** 72003	**24** 8, 4

5. km와 m가 있는 길이의 합

1 8, 900		**2** 7, 800	
3 9, 700		**4** 9, 800	
5 19, 600		**6** 23, 400	
7 4 km 500 m		**8** 7 km 400 m	
9 7 km 700 m		**10** 9 km 900 m	
11 17 km 500 m		**12** 19 km 600 m	
13 26 km 800 m		**14** 29 km 800 m	
15 28 km 700 m		**16** 38 km 900 m	

5. km와 m가 있는 길이의 합

1 1 / 9, 200		**2** 1 / 9, 100	
3 1 / 11, 100		**4** 1 / 17, 300	
5 1 / 22, 100		**6** 1 / 27, 200	
7 6 km 600 m		**8** 9 km 300 m	
9 12 km 200 m		**10** 14 km 600 m	
11 18 km 400 m		**12** 26 km 600 m	
13 18 km 400 m		**14** 24 km 300 m	
15 21 km 400 m		**16** 24 km 500 m	

DAY 11

5. km와 m가 있는 길이의 합

1 8 km 100 m		**2** 10 km 200 m	
3 9 km 200 m		**4** 15 km 200 m	
5 10 km 300 m		**6** 16 km 300 m	
7 4 km 200 m		**8** 22 km 100 m	
9 18 km 500 m		**10** 25 km 500 m	
11 27 km 200 m		**12** 31 km 550 m	
13 35 km 300 m		**14** 32 km 200 m	
15 6 km 10 m		**16** 7 km 20 m	
17 5 km 490 m		**18** 8 km 70 m	
19 7 km 500 m		**20** 4 km 170 m	
21 5 km 650 m		**22** 6 km 270 m	

DAY 12

6. km와 m가 있는 길이의 차

1 1, 100	**2** 2, 300
3 3, 800	**4** 2, 200
5 2, 200	**6** 4, 300
7 1 km 200 m	**8** 1 km 400 m
9 3 km 100 m	**10** 2 km 700 m
11 3 km 100 m	**12** 6 km 400 m
13 3 km 500 m	**14** 3 km 600 m
15 3 km 150 m	**16** 2 km 300 m

DAY 13

6. km와 m가 있는 길이의 차

1 3, 1000 / 2, 200	**2** 4, 1000 / 1, 600
3 6, 1000 / 2, 700	**4** 7, 1000 / 4, 800
5 9, 1000 / 3, 900	**6** 14, 1000 / 5, 900
7 2 km 500 m	**8** 2 km 800 m
9 2 km 900 m	**10** 2 km 700 m
11 3 km 700 m	**12** 4 km 400 m
13 4 km 700 m	**14** 1 km 600 m
15 7 km 400 m	**16** 8 km 950 m

DAY 14

6. km와 m가 있는 길이의 차

1 1 km 800 m	**2** 4 km 300 m
3 1 km 900 m	**4** 4 km 800 m
5 3 km 800 m	**6** 3 km 900 m
7 2 km 500 m	**8** 5 km 500 m
9 10 km 800 m	**10** 4 km 600 m
11 23 km 900 m	**12** 9 km 700 m
13 8 km 950 m	**14** 8 km 850 m
15 1, 850	**16** 3, 800
17 1, 800	**18** 8, 950
19 8, 700	**20** 18, 700

생활 속 연산 1 km 900 m

7. 초와 분 사이의 관계

1 70	**2** 1, 5	**3** 84
4 1, 30	**5** 120	**6** 1, 48
7 155	**8** 2, 20	**9** 185
10 2, 43	**11** 62	**12** 1, 39
13 136	**14** 2, 45	**15** 203
16 3, 20	**17** 265	**18** 4, 2
19 300	**20** 5, 30	**21** 361
22 6, 40	**23** 290	**24** 5, 33

8. 시간의 합

1 1 / 5, 20	**2** 1 / 7, 3
3 1 / 6, 33, 40	**4** 1 / 10, 20, 40
5 1 / 6, 10, 30	**6** 1 / 10, 14, 44
7 5시 43분	**8** 5시간 27분
9 9시 2분 36초	**10** 6시간 9분 44초
11 10시 1분 55초	**12** 8시간 10분 13초
13 11시 2분 26초	**14** 13시간 12분 37초
15 5시 7분 33초	**16** 13시간 22분 59초

8. 시간의 합

1 5, 50	**2** 8, 49
3 1 / 8, 20	**4** 1 / 6, 5
5 1 / 12, 19	**6** 1 / 20, 25
7 9분 39초	**8** 8분 45초
9 19분 57초	**10** 25분 46초
11 10분 10초	**12** 15분 25초
13 26분 1초	**14** 21분 12초
15 35분 28초	**16** 32분 11초

8. 시간의 합

1 1, 1 / 4, 21, 1	**2** 1, 1 / 5, 4, 15
3 1, 1 / 12, 16, 3	**4** 1, 1 / 8, 6, 18
5 1, 1 / 6, 25, 36	**6** 1, 1 / 2, 10, 17
7 9시 21분 13초	**8** 5시간 25분 16초
9 8시 10분 7초	**10** 7시간 2분 16초
11 7시 17분 1초	**12** 2시간 21분 18초
13 3시 13분 4초	**14** 9시간 1분 13초
15 6시 3분 3초	**16** 7시간 6분 3초

DAY 19
132~133쪽

8. 시간의 합

1	3시 3분 11초	2	5시 3분 9초
3	11시간 25분 17초	4	4시 12분 29초
5	7시간 10분 4초	6	7시 4분
7	7시간 1분 4초	8	5시 12분 32초
9	9시간 52분 18초	10	8시 14초
11	10시간 8분	12	10시 32분 22초
13	12시간 30초	14	4시 21분 6초
15	10시간 8분 30초	16	4시 37분 10초
17	8시간 7초	18	6시 10분 4초
19	8시간 18분	20	3시 11분 17초
21	11시간 3분 39초		

생활 속 연산 12시 5분

DAY 20
134~135쪽

9. 시간의 차

1	2, 5	2	1, 28
3	18, 60 / 4, 46	4	8, 60 / 3, 32
5	16, 60 / 8, 49	6	29, 60 / 20, 43
7	4분 20초	8	3분 35초
9	7분 10초	10	8분 16초
11	1분 54초	12	3분 13초
13	8분 47초	14	11분 33초
15	30분 41초	16	23분 53초

DAY 21
136~137쪽

9. 시간의 차

1	2, 60 / 1, 18	2	4, 60 / 2, 40
3	3, 60 / 1, 37, 26	4	5, 60 / 2, 29, 23
5	6, 60 / 4, 21, 26	6	8, 60 / 3, 50, 17
7	1시간 50분	8	1시 40분
9	2시간 48분	10	2시 58분
11	2시간 32분 8초	12	2시 45분 18초
13	4시간 46분 24초	14	4시 42분 15초
15	3시간 47분 11초	16	8시 58분 21초

DAY 22
138~139쪽

9. 시간의 차

1	60 / 2, 9, 60 / 1, 39, 50		
2	60 / 4, 24, 60 / 3, 35, 47		
3	60 / 5, 27, 60 / 2, 47, 49		
4	60 / 6, 43, 60 / 4, 52, 52		
5	60 / 8, 7, 60 / 4, 27, 43		
6	60 / 9, 10, 60 / 5, 35, 20		
7	1시간 40분 44초	8	2시 32분 51초
9	1시간 44분 11초	10	2시 44분 55초
11	2시간 36분 53초	12	3시 49분 57초
13	2시간 50분 36초	14	3시 59분 11초
15	7시간 54분 40초	16	1시간 58분 41초

9. 시간의 차

1 1시간 50분 54초		**2** 2시간 24분 47초	
3 2시 45분 46초		**4** 2시간 27분 56초	
5 1시 33분 42초		**6** 1시간 34분 46초	
7 4시 46분 58초		**8** 2시간 37분 40초	
9 5시 48분 29초		**10** 4시간 57분 15초	
11 1시 24분 30초		**12** 1시간 54분 50초	
13 1시 54분 27초		**14** 1시간 28분 50초	
15 1시간 15분 20초		**16** 1시간 46분 47초	
17 43분 51초		**18** 49분 35초	
19 2시간 49분 10초			

생활 속 연산 55분 45초

마무리 연산

1 19, 7	**2** 11, 4
3 24, 4	**4** 9, 7
5 15, 900	**6** 6, 250
7 23, 250	**8** 8, 800
9 30, 450	**10** 11, 100
11 16 cm 7 mm	**12** 19 cm 3 mm
13 25 cm 3 mm	**14** 14 cm 7 mm
15 30 cm 1 mm	**16** 15 cm 4 mm
17 13 km 800 m	**18** 20 km 700 m
19 14 km 650 m	**20** 20 km 200 m
21 23 km	**22** 15 km 850 m
23 29 km 300 m	**24** 7 km 650 m

마무리 연산

1 20, 37	**2** 16, 25
3 41, 24	**4** 15, 15
5 10, 26, 10	**6** 8, 27, 55
7 10, 19, 40	**8** 5, 59, 38
9 28, 20, 20	**10** 2, 52, 35
11 16분 44초	**12** 10분 1초
13 35분 2초	**14** 15분 38초
15 3시 54분 5초	**16** 4시간 15분 47초
17 6시 36분 20초	**18** 2시간 26분 33초
19 5시 3분 20초	**20** 3시 49분 21초
21 11시간 11분	**22** 6시 59분 48초
23 11시간 20분 5초	**24** 1시간 22분 30초

🎯 5단계 분수와 소수

1. 분수

1 1, 1   **2** 1, 1   **3** 5, 2, $\frac{2}{5}$

4 6, 5, $\frac{5}{6}$ **5** $\frac{1}{2}$ **6** $\frac{1}{5}$

7 $\frac{2}{4}$ **8** $\frac{2}{3}$ **9** $\frac{4}{5}$

10 $\frac{3}{6}$ **11** $\frac{5}{7}$ **12** $\frac{2}{8}$

13 $\frac{7}{9}$ **14** $\frac{9}{10}$

1. 분수

1 2   **2** 4   **3** 5

4 9   **5** 7   **6** 10

7 16   **8** 13   **9** 12

10 23   **11** 3   **12** $\frac{5}{6}$

13 $\frac{6}{7}$ **14** $\frac{4}{9}$ **15** $\frac{9}{10}$

16 $\frac{8}{11}$ **17** $\frac{7}{12}$ **18** $\frac{8}{15}$

19 $\frac{9}{16}$ **20** $\frac{15}{17}$ **21** $\frac{19}{20}$

22 $\frac{21}{22}$

2. 분수의 크기 비교

1 <   **2** >   **3** <

4 >   **5** <   **6** >

7 $\frac{3}{4}$에 ○표   **8** $\frac{3}{5}$에 ○표   **9** $\frac{5}{6}$에 ○표

10 $\frac{4}{8}$에 ○표   **11** $\frac{6}{9}$에 ○표   **12** $\frac{9}{10}$에 ○표

13 $\frac{14}{15}$에 ○표   **14** $\frac{8}{12}$에 ○표   **15** $\frac{5}{7}$에 ○표

16 $\frac{12}{13}$에 ○표   **17** $\frac{4}{5}$에 ○표   **18** $\frac{11}{14}$에 ○표

2. 분수의 크기 비교

1 <   **2** >   **3** <

4 <   **5** <   **6** >

7 $\frac{1}{3}$에 ○표   **8** $\frac{1}{4}$에 ○표   **9** $\frac{1}{5}$에 ○표

10 $\frac{1}{3}$에 ○표   **11** $\frac{1}{4}$에 ○표   **12** $\frac{1}{5}$에 ○표

13 $\frac{1}{3}$에 ○표   **14** $\frac{1}{5}$에 ○표   **15** $\frac{1}{10}$에 ○표

16 $\frac{1}{3}$에 ○표

2. 분수의 크기 비교

1 >	2 <	3 <
4 >	5 <	6 >
7 <	8 <	9 >
10 <	11 >	12 >
13 <	14 >	15 <
16 >	17 <	18 <
19 $\frac{5}{6}$, $\frac{2}{6}$	20 $\frac{8}{9}$, $\frac{3}{9}$	21 $\frac{11}{14}$, $\frac{1}{14}$
22 $\frac{1}{2}$, $\frac{1}{4}$	23 $\frac{1}{5}$, $\frac{1}{9}$	24 $\frac{1}{8}$, $\frac{1}{13}$

생활 속 연산 리아

3. 소수 한 자리 수

1 0.3	2 0.4	3 0.5
4 0.7	5 0.8	6 0.9
7 0.2	8 1	9 0.7
10 4	11 0.5	12 3
13 0.9	14 8	15 0.8
16 6	17 0.4	18 2
19 0.6	20 7	

3. 소수 한 자리 수

1 1.2	2 1.7	3 2.4
4 2.5	5 3.8	6 4.9
7 1.5	8 14	9 2.1
10 28	11 3.7	12 25
13 1.9	14 33	15 3.5
16 45	17 2.4	18 56
19 5.4	20 71	

3. 소수 한 자리 수

1 1.3	2 1.8	3 2.7
4 2.4	5 3.4	6 3.8
7 1.6	8 1.1	9 3.1
10 4.5	11 5.8	12 2.3
13 6.6	14 9.7	15 7.4
16 2.2	17 11.5	18 13.7

생활 속 연산 9.7 cm

DAY 09 · 164~165쪽

4. 소수의 크기 비교

1 <	2 <	3 >
4 <	5 >	6 <
7 >	8 <	9 >
10 <	11 >	12 >

13 0.4에 ○표   14 0.7에 ○표   15 0.8에 ○표

16 0.9에 ○표   17 0.3에 ○표   18 0.7에 ○표

19 0.6에 ○표   20 0.9에 ○표   21 0.4에 ○표

22 0.9에 ○표   23 0.4에 ○표   24 0.7에 ○표

DAY 10 · 166~167쪽

4. 소수의 크기 비교

1 <	2 >	3 >
4 <	5 <	6 <
7 >	8 <	9 <
10 <	11 >	12 <
13 >	14 <	15 >
16 <	17 >	18 <
19 >	20 <	21 >

22 2.4에 △표   23 1.5에 △표   24 5.7에 △표

25 6.7에 △표   26 12.4에 △표   27 9.1에 △표

28 6.5에 △표   29 7.1에 △표   30 11.3에 △표

31 15.6에 △표

DAY 11 · 168~169쪽

5. 분수와 소수의 크기 비교

1 <	2 <	3 =
4 >	5 <	6 >
7 =	8 >	9 <
10 <	11 <	12 >

13 $0.9, \dfrac{1}{10}$ 14 $0.8, \dfrac{2}{10}$ 15 $\dfrac{8}{10}, 0.3$

16 $\dfrac{9}{10}, 0.2$ 17 $0.6, \dfrac{3}{10}$ 18 $0.8, \dfrac{4}{10}$

생활 속 연산 영어

DAY 12 · 170~171쪽

마무리 연산

1 2	2 3	3 5
4 7	5 8	6 12
7 $\dfrac{3}{5}$	8 $\dfrac{5}{6}$	9 $\dfrac{3}{7}$
10 $\dfrac{5}{8}$	11 $\dfrac{7}{9}$	12 $\dfrac{11}{12}$
13 >	14 <	15 <
16 >	17 <	18 >
19 <	20 >	21 <
22 >	23 <	24 >
25 >	26 >	27 <
28 >	29 <	30 >

DAY 13

172~173쪽

마무리 연산

1 0.3	2 0.6	3 1.3
4 2.7	5 6	6 9
7 31	8 45	9 0.5
10 2.4	11 2.7	12 4.1
13 6.3	14 8.9	
15 <	16 >	17 <
18 >	19 <	20 >
21 <	22 >	23 >
24 <	25 >	26 <
27 <	28 >	29 >
30 =	31 <	32 <
33 >	34 >	35 >

MEMO